Alexandre Zinoviev

Nous
et l'Occident

TRADUIT DU RUSSE
PAR WLADIMIR BERELOWITCH

nrf

Gallimard

Les textes qui constituent le présent ouvrage
sont extraits de NOUS ET L'OCCIDENT *et* SANS ILLUSIONS.

Tous droits de traduction, de reproduction et d'adaptation
réservés pour tous les pays.

© *L'Age d'Homme, 1979 et 1981.*

ISBN 2-07-035465-2

≥ = best ens, many exp pts made in otas (handwritten)

SOMMAIRE

Le mode de vie
soviétique

Avant-propos

Je ne prétends nullement offrir ici une description systématique et complète du mode de vie soviétique. Je ne cherche pas davantage à stigmatiser les tares ou à défendre les vertus de ce mode de vie. Je veux seulement orienter l'attention du lecteur dans une direction qui, comme je le crois, répond le mieux au bon sens et permet de comprendre une tendance essentielle du monde contemporain : l'attirance pour la vie sociale de type communiste.

Le problème

Le problème du mode de vie soviétique n'est pas de ceux qui intéressent seulement les amateurs d'exotisme ou les scientifiques. C'est un problème à part. Pourquoi ? Parce que l'Union Soviétique a accompli un grand tournant dans l'histoire de l'humanité, la grande expérience communiste, parce qu'elle est devenue un modèle pour beaucoup d'autres peuples et menace d'aider à instaurer ou d'imposer par la force à l'humanité ce mode de vie qu'elle a inventé. Il est temps de faire le bilan de cette expérience et d'en tirer quelques leçons.

La société communiste était conçue comme un dépassement de toutes les tares de la société passée, comme un royaume de l'égalité, de la justice et de l'abondance, bref comme une incarnation de toutes les vertus imaginables et un dépassement de tous les maux imaginables. Qu'en est-il en réalité ? Cette société met-elle fin à l'inégalité sociale ou bien en change-t-elle seulement les formes ? Met-elle fin à l'exploitation de l'homme par l'homme ou ne fait-elle qu'en inventer de nouvelles formes ? Engendre-t-elle l'abondance promise ou au contraire une pénurie de tout ce qui est indispensable ? Cette abondance est-elle l'apanage de tout le monde ou bien est-elle réservée à des élus ? Est-elle ce royaume de la liberté qu'on avait promis ou bien invente-t-elle ses propres formes d'oppression, une oppression accrue ? Cette société apporte-t-elle un progrès ou une dégradation pour les peuples occidentaux ? Dans quelle mesure la solution qu'elle propose pour résoudre les problèmes de l'Occident vaut mieux qu'une existence avec ces mêmes problèmes non résolus, autrement dit, le jeu en vaut-il la chandelle ? Quelles sont les sources des maux inhérents au mode de vie soviétique et peut-on les éviter tout en conservant ses vertus ? L'Occident a-t-il des chances d'échapper au même sort ? Inutile, je crois, de poursuivre la liste de ces questions, ce sont celles que se posent actuellement bien des Occidentaux.

Une telle approche du problème permet de considérer le mode de vie soviétique comme un tout, sans l'atomiser dans des comparaisons de détail avec le passé de la Russie et des autres pays. Par exemple, il est facile de constater que les peuples musulmans de l'Union Soviétique vivent mieux qu'ailleurs, que le niveau culturel de la population soviétique est incommensurablement plus élevé que celui de la Russie d'Ancien Régime et bien d'autres faits tant positifs (sous un certain rapport) que négatifs. Mais ces comparaisons gomment totalement ce qui rend le mode de vie soviétique si spécifique. C'est seulement comparés avec les promesses de l'idéologie communiste et les lois fondamentales de la société communiste réelle que les faits isolés du mode de vie soviétique deviennent les détails d'un tableau d'ensemble.

Les faits et leur interprétation

Le problème du mode de vie soviétique n'est pas celui de décrire des faits inconnus jusqu'à présent ou difficiles à observer. Il s'agit de comprendre ce qui est assez largement connu, relativement facile à observer, deviner ou calculer à partir de données évidentes. Ici, tout l'essentiel se trouve en quelque sorte à la surface des choses et ce qui est dissimulé ne modifierait pas le tableau général si on le rendait public. Autrement dit, le problème est d'ordre sociologique.

Si le mode de vie soviétique est difficile à comprendre, cela est dû, si étrange que cela puisse paraître à première vue, à une abondance de faits de tous ordres et à leur caractère apparemment évident et indiscutable. Ici, on peut observer des faits capables d'étayer n'importe quelle conception préétablie. Les mêmes faits peuvent être interprétés de manière diamétralement opposée, toutes ces interprétations étant également convaincantes ou insatisfaisantes. On peut même inventer des méthodes de mesure et de calcul qui offriraient une apparence de scientificité aux conceptions préétablies.

Mais alors, dira-t-on, où est la vérité ? Elle ne réside nullement dans la juxtaposition de faits contradictoires ni dans la recherche de quelque « juste » milieu qui n'a jamais existé dans la réalité. Pour appréhender la vérité, il ne suffit pas de considérer les faits en eux-mêmes. Il faut aussi une certaine méthode d'interprétation des faits, une certaine « orientation de la cervelle », des critères nécessaires pour sélectionner, apprécier et comparer les faits. Malgré l'abondance des informations sur le mode de vie soviétique et la possibilité pour les observateurs d'accéder à tout ce qu'il est indispensable de connaître, les traits essentiels de ce mode de vie ne peuvent être appréhendés « directement », c'est-à-dire comme s'ils étaient prêts à être photographiés. Sans cette « orientation de la cervelle » mentionnée plus haut, ils restent un secret gardé par les sept sceaux. Le gardien le plus sûr des secrets du mode de vie soviétique, ce ne sont pas les « organes » de la sécurité d'Etat, ce n'est pas la censure, ni la milice, ni la police des frontières, c'est l'absence d'une bonne « orientation de la cervelle » des hommes. C'est pourquoi, que le lecteur veuille bien me pardonner si, en décrivant la vie sociale soviétique, j'évoque en même temps cette « orientation de la cervelle » qui permet de la découvrir dans

12

une certaine perspective. L'image de la réalité soviétique ne dépend pas seulement d'elle-même, mais aussi de la façon dont on la considère.

L'ancien et le nouveau

En Union Soviétique, la société communiste s'est développée, comme cela est naturel, à partir de l'héritage de la Russie d'Ancien Régime. Actuellement, bien des aspects de la vie soviétique apparaissent comme des prolongements de la tradition russe, comme des survivances d'un passé ancien et comme le fruit de l'inertie. Par exemple, la Russie fut de tout temps un Etat bureaucratique, et la révolution n'a fait que dégager la voie à cette tendance ancienne, dont elle décupla la force. Durant des siècles, la population russe fut rompue à la docilité, à la servitude et à un niveau de vie extrêmement bas, ce qui favorisa la formation de la nouvelle société et continue à lui offrir de grandes possibilités pour toutes sortes d'expériences, pour l'industrialisation, la militarisation, la politique extérieure expansionniste. Et il est parfaitement évident que l'Eglise orthodoxe russe et le nombre encore important de croyants sont un héritage du passé. Bref, de très nombreux aspects de la vie soviétique peuvent trouver leurs équivalents dans l'histoire passée du pays et il est toujours tentant de vouloir les expliquer à l'aide de cette histoire.

Pourtant, c'est une erreur de considérer la vie présente de la société soviétique comme un mélange, un compromis entre des phénomènes passés (en voie de dépérissement) et des phénomènes naissants ; et le

13

recours au passé n'explique rigoureusement rien dans le présent. La société soviétique est déjà sortie du stade embryonnaire. Elle est devenue pleinement adulte, une société accomplie de type communiste. Cette mutation s'est réalisée au cours de l'après-guerre. Or, dans une société développée, tout l'héritage, tous les vestiges du passé se transforment en éléments constitutifs de cette société, ils se mettent au service du présent, ils existent et fonctionnent selon les lois du présent. Ce qui importe dès lors, ce n'est pas que tel ou tel phénomène soit un vestige du passé, c'est la raison pour laquelle il existe encore, c'est l'aspect qu'il a pris dans la nouvelle société, c'est le rôle qu'il y joue.

Certains de ces phénomènes se reproduisent nécessairement dans la nouvelle société. Ils surgiraient même au cas où ils n'auraient pas existé dans le passé. Il en est ainsi, par exemple, du système bureaucratique. D'autres ne découlent pas nécessairement des fondements de la nouvelle société et même, dans une certaine mesure, ils les contredisent, mais ils se conservent pour des raisons diverses. C'est le cas, par exemple, de la religion et de l'Eglise orthodoxes. Ces phénomènes peuvent avoir des fonctions et des perspectives d'avenir différentes dans la nouvelle société, mais ils ont ceci en commun : les uns comme les autres sont des institutions soviétiques. La vie sociale soviétique ne contient plus rien d'important qu'on puisse mettre sur le compte de l'immaturité historique de la nouvelle société, de son incapacité à venir à bout du passé, de le forcer à marcher sous sa houlette. C'est pourquoi, si on entreprend de chercher des explications du mode de vie soviétique dans l'histoire passée du pays, ce sera se soustraire à la description même de ce mode de vie. Le mode de vie soviétique prend sa source dans les lois de la société soviétique (communiste) présente, et non dans des phénomènes passés qui ont sombré dans le Léthé.

Russe et Soviétique

Selon une opinion encore répandue, le peuple russe a été trompé, violenté par les scélérats bolcheviks, à la suite de quoi la société soviétique a vu le jour. Mais, croit-on, le peuple russe secouera bientôt le joug du bolchevisme et empruntera la voie occidentale (pour les uns) ou bien retournera à son état prérévolutionnaire (pour les autres). Ces espoirs sont dénués de tout fondement. La Russie contemporaine est un pays pourvu d'une économie et d'une culture complexes, hautement développées, une population hautement instruite qui non seulement ne rêve nullement d'un retour au passé, mais consentirait à tous les sacrifices pour éviter que ce passé ne revienne. Dans la Russie contemporaine, le rôle décisif appartient aux gens qui sont nés, ont grandi après la révolution, qui sont adaptés au milieu social où ils vivent, qui le prennent comme un élément naturel et non comme le fruit d'une erreur ou d'une tromperie qui leur aurait été imposé. On ne peut refaire l'histoire passée. Quant aux chances de suivre une autre voie, la Russie les a laissées échapper il y a plusieurs décennies. Définitivement.

Mais le communisme est un type d'organisation sociale, non un trait national. L'expérience d'autres pays montre que, sur la base des rapports sociaux communistes, il se développe, au sein des nationalités les plus diverses, des traits analogues à ceux des Russes ou, plus exactement, ces traits, en réalité, universels, reçoivent un terrain favorable. Le communisme a été investi de certains traits nationaux du peuple russe, qu'il a renforcés et contribué à cultiver chez d'autres peuples. Plusieurs articles de ce livre approfondissent ce sujet.

Négatif et positif

Au cours des dernières décennies, c'est devenu une tradition de ne voir la vérité sur le mode de vie soviétique que dans la mise à nu des excès les plus criants du régime, l'oppression politique et le quotidien misérable de la population ordinaire, bref dans les phénomènes extrêmement négatifs. Cela crée l'illusion, partagée par ceux qui ignorent la situation réelle du pays, que le système soviétique se trouverait au seuil de la catastrophe. Et en effet, le pays connaît des difficultés économiques permanentes, un niveau de vie très bas, une technologie attardée, une faible productivité du travail, l'incurie, l'écrasement de toutes les formes de protestation ; les libertés civiques n'existent pas, le peuple ne croit plus à l'idéologie marxiste (comme s'il y avait jamais cru !), etc., etc. ; n'est-ce pas assez pour que le peuple se rebelle et renverse ce régime ?

Mais il faut dire que cette illusion pèche par excès d'optimisme. Non pas que l'Union Soviétique soit dépourvue de ces traits négatifs évoqués par les pourfendeurs du régime : elle en est pourvue en

16

abondance. Le problème, c'est qu'on ne peut renverser le régime soviétique, car il n'est pas une forme de gouvernement mais la structure sociale de toute la population, qui enserre les corps et les âmes par des millions et des millions de liens pour les englober en un tout organique. En dépit de défauts et de difficultés évidents, l'Union Soviétique est actuellement plus loin que jamais de la faillite. C'est un ennemi dangereux de l'Occident, son but est de soumettre ou de détruire l'Occident, et il est certain de sa victoire finale. Ce qu'il faut, c'est connaître les sources de sa force réelle et de sa certitude, au lieu de se bercer d'illusions, même si celles-ci peuvent être fondées dans une certaine mesure.

Voici, en deux mots, mon point de vue sur les rapports entre le négatif et le positif dans la société soviétique. Le paradis terrestre que promettaient les « classiques » du marxisme y a été bel et bien construit. Mais à une « petite » nuance près : il a été réalisé sous la forme d'un enfer qui lui était adéquat. C'est justement l'incarnation des idéaux positifs du communisme qui eut, pour conséquences inéluctables, ces traits négatifs si abondamment stigmatisés à l'heure actuelle. Cette société ne se présente pas comme une simple juxtaposition de bien et de mal : une telle vision serait trop plate. Le bien s'y réalise seulement sous la forme du mal et le mal est précisément ce bien dont la société soviétique est si fière. Si vous voulez connaître les défauts de cette société, veuillez considérer ses vertus. Si vous voulez connaître ses vertus, analysez ses défauts. Défauts et vertus de cette société ne sont qu'une seule et même chose

17

considérée d'un point de vue différent et apparaissant sous des rapports différents.

Prenons par exemple la répression massive, sans précédent, de la période stalinienne. Elle est un fait qu'il serait absurde de vouloir nier. Il serait indécent de la justifier au nom des intérêts de la révolution ou d'une nécessité historique quelconque. Par contre, il est légitime de s'interroger sur ses fondements et ses raisons profondes. Est-ce le fruit des noirs desseins de quelques canailles, avec Staline à leur tête, ou s'agit-il de quelque chose de plus sérieux ? J'affirme que le stalinisme fut l'expression classique d'un pouvoir populaire conduit jusqu'à ses limites. Ce fut la réalité du pouvoir populaire, son organisation et sa vie quotidienne. La période khrouchtchevienne-brejnevienne, qui mit fin au stalinisme, fut en même temps une limitation du pouvoir populaire. Ou prenons encore l'inégalité entre les différentes couches de la population à l'égard de la répartition des biens. Actuellement, elle est reconnue, elle aussi, comme un fait indiscutable. Qu'est-ce qui fonde ce phénomène ? Les mauvaises tendances de certains individus ? Des gangs ? Nullement. Ce qui fonde cette inégalité, c'est un principe de répartition, le plus juste qu'on ait jamais connu dans l'histoire humaine (j'y reviendrai).

Dans son modèle classique (la société soviétique), le type de société communiste a révélé des tares nombreuses et terribles, qui sont à présent universellement connues. Actuellement, le problème principal n'est pas de rabâcher éternellement les mêmes faits ou de nouveaux faits ayant trait à ces tares, mais d'élucider leur nature et leurs fondements objectifs. Ces tares ne sont pas seulement le fruit de mauvaises intentions ou

18

d'erreurs, de l'héritage du passé ou de traits nationaux. Elles ne sont pas des hasards historiques transitoires que pourraient éviter les pays occidentaux plus prudents et respectables. Ce sont les manifestations objectives de l'essence profonde du système social communiste. Si ces tares n'existaient pas, il y en aurait d'autres, qui leur seraient semblables, sinon sous la même forme, du moins sous une autre, semblable, mais la société communiste réelle serait tout simplement impensable sans elles. A cet égard, le mode de vie soviétique est un modèle classique pour les autres. Considérez la façon dont vivent les Soviétiques et sachez que vous connaîtrez en gros la même chose (peut-être un tout petit peu mieux, ou peut-être même pire) si vous suivez l'exemple de l'Union Soviétique, c'est-à-dire si vous entreprenez de bâtir le socialisme (ou le communisme, ce qui en réalité est la même chose). Vous aurez toutes les vertus essentielles de cette société, mais vous devrez payer un prix qu'il vous sera impossible de marchander : ces vertus s'incarneront dans une forme telle qu'elles seront perçues comme des tares. La vie réelle n'est pas une hypothèse qu'on élabore sur le papier, où l'on peut à loisir admettre certaines choses et en rejeter d'autres.

Fondements de l'existence communiste

Les éléments essentiels de la vie des hommes au sein de la société sont leurs activités visant à se procurer les moyens d'existence, le fonctionnement social, la vie quotidienne, l'instruction, la culture, les loisirs, les sports, l'idéologie, bref tout ce qui entre, d'une façon

19

ou d'une autre, dans la vie des hommes et qui y tient une place plus ou moins importante et stable. Décrire tout ceci, ce serait exposer toute une théorie sociologique du communisme en tant que type particulier de société. Je me contenterai ici d'énoncer les informations les plus élémentaires sur ce sujet, sans prétendre par ailleurs à la rigueur systématique et scientifique. Le schéma qu'on se fait de la société soviétique est habituellement le suivant : d'un côté, il y a le peuple, de l'autre, le pouvoir avec son appareil de direction et ses institutions de protection de l'ordre public. Si ce schéma est apologétique, alors c'est le pouvoir qui conduit le peuple vers les idéaux radieux d'une société de justice et d'abondance. Si le schéma est critique, alors c'est un pouvoir qui opprime le peuple et le confine dans la terreur. Pourtant, la société soviétique réelle n'a rien à voir avec ce schéma. La division officielle de la population soviétique en ouvriers, paysans et intelligentsia, n'est aussi qu'une phrase creuse dépourvue de signification.

Pour décrire la structure d'une société de type communiste, il faut tout d'abord en dégager ses composantes minimales qui soient pourvues des traits fondamentaux de la société dans son ensemble, en dégager ses cellules élémentaires, ses briques en quelque sorte. Ces particules élémentaires ne sont ni des individus, ni des unités territoriales, ni des tissus et organismes complexes comme l'appareil du parti, mais des institutions ou des organismes relativement autonomes, pourvus d'une fonction dans la marche de la société, d'un organisme dirigeant (une gestion), d'une comptabilité, d'une cellule du parti et du syndicat ainsi que des autres éléments d'un organisme soviétique moyen. Ce sont les usines, les instituts, les écoles, les hôpitaux, les magasins, les restaurants, etc., etc. Ce sont précisément les conditions de vie et de travail des hommes dans ces cellules, ainsi que leurs relations mutuelles qui forment la base de tout ce qui est spécifique dans le mode de vie soviétique.

Ces cellules (ces collectivités élémentaires) exercent des fonctions précises dans l'activité sociale, elles ont pour cela la jouissance des moyens qui leur sont nécessaires et qui leur sont fournis par la société (locaux, machines, moyens de transports, mobilier, etc.), ainsi que les moyens de rémunérer les membres de la collectivité pour leur travail. Cette cellule n'est pas propriétaire des moyens qu'elle utilise pour ses activités : dans la société communiste, les rapports de propriété sont totalement liquidés. Certes on y parle de « propriété d'Etat », de « propriété collective » (concernant les kolkhozes), mais le terme de « propriété » y perd son sens strict. Il s'agit ici d'une jouissance, mais toute jouissance n'est pas propriété. Par exemple, les kolkhozes soviétiques ne peuvent vendre même une motte de terre à quiconque, alors que la « propriété » de la terre leur est acquise pour toujours. Ainsi la cellule a beau être autonome, dans une certaine mesure, dans l'exercice de ses fonctions et dans ses rapports avec ses membres, elle n'en reste pas moins solidement reliée à l'ensemble. Cet ensemble la nourrit (en termes imagés) et en retour, elle lui livre sa production. Dans son activité, elle est soumise à un contrôle extrêmement sévère de la part de l'ensemble, par le truchement de ses organismes du parti et de l'Etat, ainsi que tout le système de direction des groupes de cellules, qui réunissent toutes les cellules en un seul organisme social.

C'est la raison pour laquelle toute tentative visant à créer des groupements non officiels, indépendants dans leur fonctionnement, non soumis au contrôle de l'ensemble, libres de toute fonction imposée, non fournis en moyens de fonctionnement, non soumis aux standards des cellules normales, une telle tentative donc signifie la formation de cellules hétérogènes dans l'organisme social, qu'elles menacent dans son existence. Quels que soient les buts généreux que se fixent les organisateurs et les participants de ces cellules hétérogènes, celles-ci jouent dans la société un rôle qu'on pourrait comparer à celui des cellules cancéreuses dans un corps sain. Ce qui est surprenant dès lors, ce n'est pas que la société soviétique mène la lutte contre les groupes dissidents, c'est qu'elle le fasse si mollement, si paresseusement : concession évidente à l'opinion publique occidentale et aussi à quelques calculs intéressés dans le jeu de l'Union Soviétique avec l'Occident.

L'adulte actif (qui forme le noyau de la population) ne fait pas individuellement partie de la société communiste : il y entre par l'intermédiaire d'une cellule, d'une collectivité élémentaire. En outre, il devient une parcelle de la collectivité, un individu occupant une certaine position sociale dans la collectivité. C'est seulement à travers sa collectivité élémentaire que l'individu donne ses forces et ses capacités à la société, recevant en retour, toujours par l'intermédiaire de la collectivité, les moyens qui lui permettent d'exister, de fonctionner socialement et d'avoir une vie quotidienne normale. La position de l'individu dans la société, son sort même dépendent de sa position au sein de la collectivité. En offrant à l'individu la possibilité de travailler et de recevoir ses moyens d'existence, la collectivité règne en maître sur lui. De sorte que le principe : les intérêts de la collectivité priment ceux de l'individu, n'est pas seulement un axiome de la démagogie officielle, c'est aussi un principe opérant dans la réalité. Dans cette société, seule la collectivité, et non la personne humaine isolée, est un individu à part entière. La personne humaine isolée n'est qu'un individu partiel, pour autant qu'elle fait partie de l'individu-collectivité. Bien sûr, cette règle générale souffre des exceptions. Il arrive que les hommes se procurent certaines choses en dehors de leur cellule-collectivité. Mais ce rapport de l'individu à la collectivité que nous venons d'évoquer est un facteur qui détermine tous les autres aspects de la vie des hommes, y compris les déviations à l'égard de cette norme fondamentale.

L'asservissement

La constitution soviétique comporte un article spécifiant que les citoyens de l'Union Soviétique ont droit au travail. Cet article est visiblement destiné à la propagande : il s'agit d'opposer la société communiste à la société bourgeoise, où le chômage est le fléau de millions de personnes. Mais si l'on y réfléchit bien, cet article est un non-sens logique. En réalité, les citoyens sont obligés de travailler et cette obligation est un droit tout comme le devoir des soldats d'obéir à leur commandement en est un. Plus concrètement, cette obligation de travailler signifie que les citoyens doivent être attachés à une certaine collectivité élémentaire et travailler en qualité d'un de ses membres. Si l'on n'est pas compté parmi les employés (travailleurs) d'une collectivité officiellement reconnue quelconque, on passe pour un tire-au-flanc cherchant à éviter de travailler (un parasite), même si on travaille davantage que les membres de la collectivité. A l'inverse, on peut être un parasite de fait, mais si on est compté dans les effectifs d'une collectivité officielle, on passe officiellement pour un travailleur. La société soviétique comprend une immense multitude de ces collectivités élémentaires et des fonctions qui les composent, où beaucoup peuvent mener de fait une vie de parasites et de fainéants tout en étant rémunérés : c'est l'un des traits du communisme qui exerce une séduction sur les masses humaines.

Si les gens sont attachés à des collectivités, ce n'est pas le fruit d'une invention diabolique. Ce fait exprime la position fondamentale de l'homme dans la société : en principe, l'individu ne saurait exister s'il n'est pas fixé à une collectivité, car, dans l'idéal et pour l'essentiel, le salaire qu'il reçoit de la collectivité est son unique source d'existence. Du reste, l'échelle de la rémunération est trouvée empiriquement : l'individu doit régulièrement être rémunéré afin qu'il vive constamment au niveau qui lui a été fixé, autrement dit, afin qu'il ne puisse échapper pour longtemps à la collectivité et à son contrôle. Il est impossible de décrire ici les mécanismes sociaux qui engendrent ce type de phénomènes. Mais ils existent et ils agissent, le plus souvent de façon inconsciente et spontanée. Ainsi, le faible niveau de vie de la population et l'impossibilité, pour la grande masse, de réaliser des économies importantes, sont le fruit d'une sorte d' « instinct social » de la société, celui de la conversation et non simplement le résultat de difficultés « passagères ». L'idée d'une société d'abondance sous le communisme se trouve en contradiction flagrante avec la tendance réelle de cette société à abaisser le niveau de vie des larges masses de la population jusqu'à son minimum tolérable.

Tentation

Si on analyse la vie des gens au niveau de la cellule sociale, on peut découvrir que le système communiste est avant tout, pour eux, une tentation, et seulement ensuite une nouvelle forme d'exploitation et d'asservissement. Le droit au travail, l'emploi garanti, l'individu les paie par l'obligation de travailler et par son attachement à une collectivité officielle. Les congés payés, les séjours gratuits en maison de repos, il les paie par des services misérables dans cette même maison de repos. L'impossibilité de licencier des ouvriers aux fins de diminuer les coûts de la production, la société la paie par l'existence d'entreprises non rentables. La relative indépendance de la rémunération à l'égard de la qualité et de l'intensité du travail, la société la paie par une indifférence des hommes à l'égard de la productivité du travail et par de bas salaires. Les loyers bas et le logement garanti, les gens les paient par des conditions de logement misérables et par le système de l'enregistrement du domicile (*propiska*), autrement dit, par une fixation territoriale des personnes. Pour beaucoup, le problème d'une amélioration de leur logement devient un des plus ardus et des plus importants, et quant au changement de domicile, ce problème devient tellement difficile que l'on s'y résout seulement en cas de nécessité extrême.

Outre ce minimum garanti de biens élémentaires, je noterai encore deux facteurs importants dans la vie des gens qui font que, en dépit de tout, les gens deviennent incapables de renoncer au mode de vie soviétique. Je me sers de la notion de degré de rémunération, la définissant par un rapport entre la rétribution du travail et la force que coûte ce travail. C'est ainsi que, selon mes calculs, le degré de rémunération dans la société communiste est en général nettement plus élevé que dans le monde capitaliste et, à l'inverse, le degré d'exploitation y est plus bas. De sorte que le communisme apporte réellement aux hommes un allègement de leurs conditions de travail, au regard des conditions capitalistes. Le prix à payer est que le niveau de vie des employés et des travailleurs soviétiques est bien inférieur à celui de leurs homologues occidentaux. Les Soviétiques possèdent moins de choses. En revanche, ils travaillent moins et disposent de quelques garanties minimales.

La seconde tentation est une relative simplicité formelle de la vie, ce qui se traduit par un petit nombre de papiers qui enserrent l'existence de chacun ainsi que par l'évidence des différentes voies possibles. En un mot, cette société n'est pas seulement une concentration de défauts. C'est une concentration de défauts découlant de ses vertus.

La vie des hommes au sein des collectivités élémentaires est standardisée à l'échelle de toute la société. Si

26

l'on étudie la structure et le fonctionnement d'une cellule, on pourra attendre en gros la même chose des autres cellules du même type. Ceci freine la tendance que peuvent avoir les gens à vouloir changer leur lieu de travail et contribue à fixer les personnes à leur lieu de travail et de résidence. La population des pays communistes est moins mobile que celle des pays occidentaux.

Contradiction fondamentale

Un taux d'exploitation relativement faible (et, parallèlement, un taux de rémunération élevé) n'est pas le fruit des préoccupations du Parti et du Gouvernement pour le bien-être du peuple, mais il est le résultat des rapports fondamentaux entres les hommes et des conditions de leur activité. Pour la partie la plus influente de la population, le degré de rémunération ne dépend pratiquement pas ou très peu des dépenses et de la qualité du travail. Il dépend bien davantage de la position sociale des hommes et de la part plus ou moins active qu'ils prennent à la vie sociale (par exemple, la démagogie, la servilité devant les supérieurs). C'est pourquoi la masse de la population a très peu intérêt à bien travailler et, elle a intérêt à améliorer sa situation par le biais d'autres moyens de la vie en collectivité, moyens qui suscitent une répulsion apparente, mais qui sont en réalité admis comme normaux. Les autorités encouragent les bons travailleurs, afin de créer des exemples qui amélioreraient l'attitude de la population à l'égard du travail. Mais seuls des individus isolés peuvent y gagner quelque

27

chose. La majorité demeure indifférente parce qu'elle peut constater que le jeu n'en vaut pas la chandelle, que les gens retirent plus de profits d'autres voies que du travail « honnête et consciencieux ». Les gens peuvent constater aussi, sur la base de leur propre expérience, que la réussite dépend davantage de leur savoir-faire arriviste que du talent et du travail : par exemple, de la situation des parents, des relations, de la « biographie », du comportement qu'on a aux réunions, des flatteries à l'adresse des chefs, des pots-de-vin et des services rendus, des dénonciations, de l'art de trahir celui qu'on a intérêt à trahir et soutenir celui qu'on a intérêt à soutenir.

Bien que les autorités encouragent une émulation entre les hommes, dans les collectivités et entre les collectivités (c'est devenu un élément indispensable du mode de vie soviétique), les relations entre les hommes et les collectivités sont bien moins régies par la concurrence visant à une meilleure exécution des tâches, à une meilleure qualité et à une plus grande quantité de la production, que par les obstacles et les entraves qu'on se dresse mutuellement. En effet, les collectivités comme leurs membres voient leurs fonctions rigoureusement définies, de même que l'échelle que doit prendre leur activité, les sources des matières premières, les débouchés de leur production ; bref, tous les éléments essentiels de leur vie et de leur activité sont définis à l'avance, ce qui exclut pratiquement l'initiative privée et le risque individuel. Ceci se fait à l'aide de toutes sortes de plans et d'instructions qui réglementent les actions des collectivités. Le fruit de tout cela, c'est le trompe-l'œil, le formalisme (l'essentiel étant d'être en règle avec ses supérieurs), la peur du risque, l'indifférence à l'égard des nouvelles techniques plus perfectionnées, les dépenses absurdes, la poudre aux yeux, le travail bâclé, le mensonge. La direction s'efforce de surmonter ces conséquences néfastes de l'organisation communiste du travail en encourageant les travailleurs de choc (c'est-à-dire les meilleurs travailleurs), en imposant « l'émulation socialiste », en instaurant un système minutieux et lourd de contrôle, et de punitions, sans exclure le recours à d'autres voies. Certes, cela évite des conséquences catastrophiques résultant des fondements les plus objectifs du communisme, mais seulement dans une très faible mesure. Les discours sur une amélioration de la discipline du travail, la productivité du travail, l'abaissement des coûts de la production, une gestion économique plus éclairée et habile, une introduction accélérée des découvertes scientifiques et techniques dans la production, ces discours deviennent une idée fixe du pouvoir. Ils sont le signe non pas des qualités du système communiste, mais de ses défauts inéluctables auxquels, malheureusement, on ne saurait mettre fin au moyen d'appels de dirigeants et d'endoctrinement idéologique de la population. C'est pourquoi la plus grande vertu du communisme (un allègement relatif des conditions de travail et la garantie du travail pour tous) est indissolublement liée au plus grand de ses maux : sa tendance à une faible productivité du travail, à une baisse de la qualité de la production, et à une mauvaise organisation (bien que planifiée) de l'économie du pays. Le niveau de vie relativement faible de la population s'explique avant tout non pas par une politique extérieure coûteuse et la militarisation du pays, mais précisément par cette tare de la société que nous venons d'évoquer. Plus la paix se prolongera dans le monde, plus cette tare deviendra sensible. Objectivement, indépendamment de la volonté et du désir de chacun, le pays a intérêt à ce qu'il y ait des troubles et des conflits dans le monde, il a intérêt à conquérir de nouveaux territoires afin de se procurer des produits alimentaires et des marchés pour écouler sa mauvaise production. Seules, ses immenses ressources naturelles, la résignation de sa population à un faible niveau de vie, l'exploitation de ses alliés, ses rapports avantageux avec les autres pays du monde, la spéculation sur les difficultés de l'Occident et l'aide directe des pays occidentaux, sauvent l'Union Soviétique d'une crise économique grandiose. Mais l'essentiel de tous ces facteurs reste l'aide de l'Occident. On peut dire sans exagération que l'Occident sauve et nourrit lui-même son fossoyeur potentiel.

Inégalité sociale

Même au niveau des cellules élémentaires, on constate à l'évidence la différenciation des personnes selon leur position sociale. La différence essentielle est déterminée par les rapports de commandement et de subordination. On peut mentionner aussi les différences de niveau professionnel, de maîtrise dans les professions plus ou moins complexes, celle qui touche au prestige de la profession, au degré de responsabilité et de risque. Au sein même des cellules, il se forme une hiérarchie des personnes qui occupent une position sociale plus ou moins élevée : c'est la base absolument inévitable de l'inégalité sociale dans toute société communiste, où la hiérarchie sociale se fonde uniquement sur la base que j'ai évoquée. La société dans son ensemble se compose d'une multitude de cellules qui forment à leur tour une hiérarchie dans le système de commandement et de subordination. En conséquence de quoi il se forme, au lieu de l'égalité sociale promise, une longue échelle hiérarchique des positions sociales. Bien entendu, la promotion au sein de cette échelle présente en elle-même un intérêt pour la population, mais, en outre, cette échelle a une influence essentielle sur la vie des gens, et avant tout, sur leur situation matérielle et le niveau des biens qui leur sont garantis, de même que l'assurance qu'ils ont de pouvoir en jouir. La lutte pour la promotion sociale devient le fondement des fondements de l'activité de la partie la plus active de la population, dont l'état d'esprit se transmet à l'ensemble de la société. L'atmosphère psychologique qui règne dans la société n'a rien à voir avec les rêves radieux des utopistes et les prédictions « scientifiques » des « classiques » du marxisme. Les Soviétiques plaisantent : si, sous le capitalisme, l'homme est un loup pour l'homme, sous le communisme, l'homme est un camarade-loup pour l'homme. Aux aspirations, aux passions qui se déchaînent, on sacrifie totalement toutes les valeurs humaines forgées depuis des siècles. Et tout ceci se dissimule sous le voile de l'hypocrisie, de la démagogie, des conventions formelles. Ce déchaînement n'apparaît pas du premier coup d'œil. Il faut vivre longtemps au sein des collectivités soviétiques pour y voir clair et apercevoir leur vie secrète. L'atmosphère morale et psychologique bien connue qui règne dans les sociétés où les conditions de vie humaine sont réglées par l'argent, apparaît comme un conte romantique au regard de la lutte qui déchire la société communiste, et dont l'enjeu sont les positions sociales et les biens qui en découlent. Dans une société aussi importante que la soviétique, cette lutte entraîne des dizaines de millions de personnes, car la richesse s'y définit précisément par la position sociale et non par l'argent en tant que tel. Cette lutte mobilise toutes les forces et les capacités de chacun. Elle prime tout le reste. C'est pourquoi la lutte pour les droits de l'homme et les libertés civiques est un phénomène étranger à la société. Certes, les hommes luttent pour ces droits et ces libertés, mais c'est au titre de biens qu'ils peuvent acquérir sous une forme ou sous une autre, à mesure qu'ils progressent dans l'échelle hiérarchique. Hors de cette réalité, la lutte pour les « droits de l'homme » et les « libertés démocratiques » devient l'affaire d'individus isolés qui, pour une raison ou pour une autre, ont été exclus de la vie normale des collectivités soviétiques.

Répartition

L'égalité sociale en société communiste est impossible en vertu des principes de répartition les plus justes qu'ait connus l'histoire de l'humanité. Selon l'idéologie soviétique officielle (marxiste-léniniste), le premier stade du communisme est régi par le principe : « à chacun selon son travail », et le second stade (suprême), par le principe : « à chacun selon ses besoins ». De beaux principes, n'est-il pas vrai ? Mais les mots sont une chose et la réalité en est une autre.

Admettons qu'il soit possible de comparer le travail de deux ouvriers d'une même profession dans la même entreprise, de deux comptables dans le même bureau, de deux professeurs d'un même établissement scolaire. Mais comment comparer le travail d'un ouvrier, d'un technicien, d'un ingénieur, d'un directeur d'usine, d'un secrétaire local du parti, d'un soldat, d'un général, d'un ministre, d'un diplomate, d'un milicien, d'un musicien ? Dans la réalité, cette comparaison s'accomplit au cours d'un processus complexe, d'un système d'essais et d'erreurs, d'un choix de professions, bref d'un processus qui se définit par le véritable principe de la rémunération du travail : à chacun selon sa position sociale. Du point de vue du sort individuel des Soviétiques, ce principe se réalise de la façon suivante : chacun essaie d'arracher pour lui des biens produits par la société, dans la mesure où sa position sociale le lui permet. Dans cette société, les biens ne sont pas distribués, ils sont conquis de haute lutte.

Il en va de même pour le principe : « à chacun selon ses besoins », qui, lui aussi, est réellement à l'œuvre dans la société soviétique, ce qui me permet de la considérer comme un communisme pleinement réalisé. Laissons de côté la notion, plutôt floue, d'abondance. Les Soviétiques qui arrivent en Occident perçoivent l'abondance occidentale comme quelque chose de fabuleux, comme un super-communisme. Le principe : « selon ses besoins » ne signifie pas que tous les besoins possibles des hommes soient satisfaits (tout ce que chacun pourrait désirer), mais que sont satisfaits les besoins reconnus par la société, les besoins socialement reconnus. Or, la société reconnaît seule-

33

ment, pour chaque catégorie sociale, les besoins auxquels chacun a droit de par sa position sociale. Par exemple, le membre du Politbureau a droit à des hôtels particuliers, des villas dans les environs de Moscou, des villas dans le Midi, des gardes du corps, des entreprises alimentaires personnelles et bien d'autres choses encore. Ce sont ses besoins de membre du Politbureau. La société ne les reconnaît jamais au titre de besoins de professeur, de général, de directeur d'usine (ne parlons pas de l'ouvrier).

C'est donc justement l'application de justes principes de répartition des biens, assortie d'un complexe partage des fonctions et d'un système compliqué de commandement et de subordination qui engendre une monstrueuse inégalité dans la répartition de ces mêmes biens : c'est une loi sociale qu'aucun parti, aucun gouvernement, aucun mouvement progressiste, aucune réforme, aucune révolution ne saurait abolir. Les hommes sont condamnés à l'inégalité sociale, à la lutte contre cette inégalité comme à la lutte pour le maintien et la consolidation de cette inégalité. C'est sur cette base que la société soviétique a vu se former des couches sociales et des groupes plus ou moins stables (avec une tendance héréditaire), qui varient selon leur degré de sécurité, de privilèges, de garanties. Dans la société soviétique, il y a des centaines de milliers de personnes qui vivent très bien ou bien, des millions qui ont une vie décente ou supportable. Innombrables sont les ministres, les généraux, les académiciens, les directeurs, les fonctionnaires du parti et les responsables de toute sorte. Si l'on compare les couches sociales privilégiées avec les couches régnantes du passé, on peut dire que le communisme a considérablement élargi le sommet de la société. En même temps, il stabilise, il garantit la situation des privilégiés, il les dispense du risque individuel et des pertes. C'est pourquoi cette société comprend un assez grand nombre de personnes qui ont le droit de considérer ce système social comme le leur.

Liberté et oppression

On sait assez l'absence de libertés démocratiques et la répression de tous les mouvements d'opposition en Union Soviétique. Je ne me répéterai donc pas. Je voudrais souligner seulement un phénomène extrêmement important qu'on passe habituellement sous silence. C'est le fait que tout le système de l'oppression se développe sur les fondements mêmes de la société soviétique, c'est-à-dire l'oppression que la collectivité exerce sur chacun de ses membres pris isolément. En opprimant chacun des leurs individuellement, les Soviétiques s'oppriment en fin de compte eux-mêmes. Les organismes spécialisés dans la surveillance et la répression (KGB, milice) ne sont que les fonctions des collectivités élémentaires et de la masse de la population en général, déléguées et centralisées à l'échelle du pays. L'écrasante majorité des citoyens a rarement ou jamais affaire à ces organismes de répression. Ils ont affaire à leurs supérieurs immédiats, à leurs confrères et aux autorités locales qui exercent plutôt, en ce qui les concerne, des fonctions bureaucratiques, des fonctions de sauvegarde de leurs intérêts et de protection de l'ordre public. Seuls, des individus isolés, qui rompent avec les normes de comportement admises, et dont on ne réussit pas à venir à bout au sein de la collectivité, deviennent l'objet de l'attention et de l'activité des organismes spécialisés du pouvoir. Mais pour la majorité des citoyens, je le répète, ce sont en fait les membres de leurs collectivités qui sont le pouvoir suprême. Eux-mêmes jouent le rôle de juges suprêmes à l'égard d'autrui. Les collectivités élémentaires sont dotées d'un grand pouvoir qui leur permet de maintenir le comportement de leurs membres dans les limites voulues, car c'est d'elles que dépendent, au premier chef, la situation et le sort de chacun. La collectivité peut empêcher qu'on améliore son logement, qu'on ait un meilleur salaire, qu'on soit promu. C'est de la collectivité que dépend l'éventualité d'un licenciement ou d'une inculpation. Si la collectivité délivre une mauvaise appréciation à l'un de ses membres, toutes les autres collectivités réagiront de la même manière, de sorte que, sans même une sanction particulière de la part des autorités, la victime sera pratiquement dans l'impossibilité de trouver un emploi à sa mesure. La vie des collectivités élémentaires est organisée de telle sorte que tout le système de l'oppression repose non pas sur de quelconques volontés mauvaises, mais sur la bonne volonté des masses de la population. L'oppression n'est que l'organisation et la somme des bonnes volontés et de la liberté de chacun. L'écrasante majorité des actes des citoyens se fait en pleine connaissance de cause et nullement sous la contrainte : la formule de Hegel sur la liberté comme nécessité consciente est ici très proche de la vérité. Un très petit nombre d'actions seulement sont le fruit de la contrainte et suscitent des protestations.

36

Travail forcé

La société communiste est une société de travail forcé, y compris au sens où elle a besoin d'une armée d'esclaves qu'on puisse utiliser là où la population ordinaire refuse de vivre et à des travaux que tout le monde refuse. En Occident, on utilise pour ces travaux des travailleurs étrangers. A l'époque stalinienne, cette armée d'esclaves était fournie par la répression de masse et la fuite des campagnes consécutive à la collectivisation. Actuellement, en Union Soviétique, ce sont les détenus qui jouent en partie le rôle de cette armée. Ils sont assez nombreux. Ce ne sont pas des criminels professionnels, mais essentiellement des citoyens ordinaires qui commettent des délits dans leur travail ou leur vie quotidienne. Cette fonction d'esclave est également remplie, en partie, par les soldats et les femmes. Mais le phénomène le plus extraordinaire, encore mal connu en Occident, c'est l'envoi de contingents entiers de personnes aux travaux d'été, à la campagne, aux dépôts de légumes et aux chantiers. C'est devenu une tradition. Les gens semblent participer à ces travaux de leur plein gré. Mais ce n'est qu'une apparence ! Les entreprises et les bureaux sélectionnent spécialement des employés à cette fin. Les cas de refus sont extrêmement rares. Beaucoup sont tentés par la perspective de garder leur salaire à la ville et de pouvoir « s'aérer » pendant quelque temps, « s'amuser ». Mais surtout, on accepte parce qu'on n'ignore pas les conséquences désagréables que pourrait entraîner un refus. Ce qui est intéressant dans ce mécanisme, c'est la forme même de la contrainte qui fonctionne comme s'il s'agissait d'un bénévolat.

Libertés civiques

Les barrières, les interdits qui limitent le comportement des hommes et qu'il est admis de considérer comme des violations de ce qu'on appelle les « droits de l'homme » expriment en réalité la nature profonde du système soviétique, mais non pas au sens propre impliqué par cette formulation.

Prenons, par exemple, le problème de la liberté de culte. Il ne faut pas s'imaginer que les Soviétiques ne songent qu'à croire en Dieu et à prier, tandis que les pouvoirs publics, toujours malfaisants, les répriment pour cette raison. Bien entendu, il y a une propagande antireligieuse en Union Soviétique. Les croyants qui ne cachent pas leurs convictions ont moins de chances de réussir dans la vie (à de rares exceptions près). Mais là n'est pas la raison principale de la nature anti-religieuse de la société et de l'athéisme de la masse principale de la population. A travers tout le système de leur éducation et de leur instruction, les Soviétiques apprennent à devenir athées. Dans leur masse, ils n'ont pas besoin de la religion et ne font rien pour y accéder, car les formes existantes de la religion ne répondent plus au type humain sécrété par cette société et aux conditions de son existence. Au sein des collectivités élémentaires, les croyants constituent une rareté et n'y jouent pratiquement aucun rôle. Ceux qui se tournent vers la religion sont surtout des personnes qui, pour telle ou telle raison, sortent de la vie active des collectivités. Si les religions anciennes et leurs institutions héritées du passé continuent encore à exister, ce n'est pas parce que la société serait incapable d'en venir à bout. Bien au contraire, si elles ont encore une existence, c'est parce que la société en est venue à bout et les a mises à son service. Elles ne menacent plus le nouvel ordre social. Elles le servent dans la mesure où elles détournent une certaine part des énergies potentielles qui pourraient nuire au système social existant.

Prenons un autre exemple : la liberté de la création littéraire (comme un aspect du problème de la liberté d'expression). On croit souvent que la littérature soviétique se trouve sous le joug oppressant de la direction du parti, de l'idéologie et de la censure, ce qui est censé expliquer son état présent. Cette conviction est alimentée par les écrivains soviétiques eux-mêmes : ils voudraient passer pour de grands talents que les conditions soviétiques empêcheraient de s'épanouir. Ah, si on leur donnait la liberté de créer, se plaisent-ils à croire, ils offriraient au monde les plus grands chefs-d'œuvre ! Hélas, cette opinion n'a rien à voir avec la réalité. La littérature soviétique n'est pas quelque chose d'autonome, elle n'est pas isolée du reste de la société. Elle est si ancrée dans la société qu'elle n'apparaît dans son unité, d'ailleurs très relative, qu'au cours des congrès d'écrivains, lorsque, sous des tonnerres d'applaudissements, elle élit le Politbureau à la présidence d'honneur, adresse une lettre de salutations aux hauts dirigeants, jure fidélité à la ligne générale du parti et se livre à d'autres actes du même genre qui expriment très exactement sa nature sociale profonde. La littérature soviétique, ce sont des dizaines de milliers (essayez seulement de les compter!) d'écrivains qui ne peuvent pas être tous talentueux. Ils ne peuvent être que des médiocres, sélectionnés et éduqués pour exercer certaines fonctions sociales bien précises dont la principale est le « travail idéologique ». La littérature soviétique est une partie intégrante de l'appareil idéologique de la société. Elle est elle-même une structure complexe formée d'une multitude d'organisations, dotée d'une hiérarchie des fonctions, d'un système typiquement soviétique de répartition des biens, dont celle des rangs, des honneurs et de la gloire.

Il ne faut pas s'imaginer que des écrivains soviétiques pleins de talent aspireraient à créer une littérature véridique et d'une qualité artistique mais que les autorités du parti et du pouvoir les en empêcheraient. La réalité, c'est que des milliers et des milliers d'écrivains, pour la plupart médiocres, sont eux-mêmes des représentants du pouvoir d'Etat dans leur sphère sociale, ils sont eux-mêmes une censure rigoureuse qu'ils exercent sur leur propre création et sur celle de leurs collègues. Eux-mêmes sont d'abord des agents du régime et seulement ensuite ses victimes : juste salaire qu'ils paient pour la position privilégiée qu'ils occupent, au regard des couches inférieures de la société. Les seules victimes du régime sont les rares écrivains qui s'efforcent de frayer de nouvelles voies littéraires et qui ont de véritables capacités pour cela.

La limitation ou l'annihilation totale de la liberté de déplacement, d'expression, d'association et d'autres libertés n'est pas le fruit d'une invention arbitraire de la part d'une poignée de mauvaises gens et imposée à

40

la population par la force. C'est un fait expérimental qui découle des bases mêmes de la vie sociale. Les Soviétiques savent d'expérience que si « on laisse faire à nos gens ce qu'ils veulent », toute vie normale deviendra impossible. C'est seulement dans les appels démagogiques et dans l'imagination des gens qui ne vivent pas la vie soviétique ordinaire, que les libertés apparaissent comme un bien absolu. Dans les conditions de la société communiste, elles se transforment immédiatement en leur contraire, engendrant des conséquences qui suscitent des protestations parmi les larges couches de la population. Elles conduisent à la violation des principes mêmes du mode de vie communiste, de sa justice reconnue tacitement. Par exemple, si un haut fonctionnaire du parti ou de l'Etat possède un excellent appartement, une villa, une voiture et d'autres biens, la population l'admet comme un dû. Mais si une personne qui n'est pas haut placée dispose de ces mêmes biens, alors ce fait est perçu comme un crime. La population elle-même s'efforce d'empêcher ses congénères par tous les moyens dont elle dispose (dénonciations, lettres, déclarations), de vivre au-dessus de leur situation officielle. Il en va de même pour les autres limitations des libertés et les interdits. Ce ne sont pas des violations de quelque norme humaine universelle, ce sont des normes de la vie sociale soviétique.

On sait par exemple que les Soviétiques éprouvent des difficultés ou bien ne peuvent pas du tout aller à l'étranger. Admettons un instant qu'on prenne la décision, au plus haut niveau, d'autoriser les Soviétiques à aller à l'étranger aussi librement que dans les pays occidentaux. Mais tout ceci reste encore sur le

41

papier. Il faut encore organiser l'application de cette décision pour un nombre immense de personnes. Les Occidentaux ne s'imaginent pas ce que les voyages à l'étranger signifient pour des Soviétiques et ne peuvent se représenter ce que cela pourrait donner dans la réalité. Ce serait une telle prolifération de la saleté que tout le système actuel apparaîtrait comme le summum de la moralité. Dans la société soviétique, il n'y a pas de mécanismes sociaux, de conditions qui puissent garantir les libertés sous la forme que suppose leur formulation, tel est le nœud du problème. La lutte pour les valeurs occidentales sur la base des rapports sociaux communistes est l'affaire d'une longue et sanglante histoire et non un petit problème de gouvernement ou l'objet d'une manifestation de dissidents.

La culture

La société soviétique est hautement instruite. Par exemple, en Union Soviétique on lit davantage qu'en Occident (d'un certain point de vue évidemment), et le respect pour le livre est plus grand. Bien entendu, la propagande utilise ce fait comme une « preuve supplémentaire » de la supériorité du communisme sur le capitalisme. Mais si on prend la peine d'analyser ce fait, on s'apercevra qu'il est absurde, dans ce domaine, de parler de défauts ou de qualités de la société. Car ce phénomène a une explication. Dans cette société, la plupart des loisirs que connaissent les Occidentaux sont difficilement accessibles ou n'existent même pas, les livres coûtent moins cher, on dispose de temps libre et de possibilités pour la lecture.

Beaucoup lisent pendant leur journée de travail, dans les transports en commun où ils perdent parfois des heures entières, dans les files d'attente. Ou prenons encore un autre fait : le nombre élevé de diplômés de l'enseignement secondaire et supérieur. En Union Soviétique, bien des emplois sont tenus par des diplômés, bien qu'il n'y ait là aucune nécessité pratique. Par exemple, dans une usine soviétique, il y a cinq ou dix fois plus d'ingénieurs diplômés que dans une usine occidentale analogue. Ce qui a des aspects négatifs, en particulier le bas niveau des salaires des ingénieurs, mais aussi des avantages : une part plus importante de la population a accès à l'instruction, ce qui élève le niveau de la population dans son ensemble. Au cours des dernières décennies, l'inégalité sociale a de plus en plus imprimé sa marque sur le système d'enseignement. Les enfants des couches privilégiées ont la possibilité de recevoir une meilleure instruction et de choisir les établissements scolaires selon leur goût et la situation de leurs parents. Les enfants des couches inférieures ont droit à un moindre niveau d'instruction, leurs possibilités de choix professionnel sont limitées. Pratiquement, les enfants des ouvriers et des paysans doivent rester ouvriers et paysans, tandis que ceux des couches privilégiées ne descendent plus au-dessous d'un certain niveau.

Chaque type de société sécrète un type de culture correspondant. Actuellement, on peut parler de la culture soviétique comme d'un modèle classique de culture communiste (socialiste). L'état actuel de la culture soviétique est en gros connu des Occidentaux : on peut dire qu'il est patent. J'évoquerai seulement en quelques mots son arrière-plan social.

On doit considérer tout phénomène social non pas seulement du point de vue de son rôle apparent dans la société, mais aussi du point de vue de son existence propre qui est moins évidente à ses yeux. En Union Soviétique, il y a des centaines de milliers d'écrivains, d'artistes, d'acteurs, de danseurs, de musiciens, de chanteurs et autres gens de culture. Ils sont tous considérés comme des créateurs. Mais dans ce milieu, l'élément de création est tout aussi insignifiant que dans n'importe quel autre. Cette sphère d'activité est attrayante à plus d'un titre et des millions de personnes cherchent à y accéder, qu'ils aient ou non des données pour cela. Il existe de nombreuses écoles spécialisées, des cours du soir, des studios, des clubs qui aident en partie à découvrir et à développer des talents mais qui permettent surtout à des enfants médiocres de progresser jusqu'à un niveau moyen de talent et de se préparer à la création. Chacun s'applique à dissimuler ce qui s'y passe du point de vue moral et psychologique. Les parents comme les enfants subissent là une vigoureuse école de la vie communiste et y révèlent ce dont ils sont capables en tant que citoyens de cette société. Ce qui s'y passe est si répugnant qu'on se remémore involontairement cette thèse marxiste selon laquelle la société serait aussi une forme du mouvement de la matière. En outre, la sphère culturelle comprend un très grand nombre de fonctions qui ne nécessitent aucune préparation spéciale : ce sont les directeurs, les administrateurs, les figurants, les comptables, les rédacteurs... Beaucoup de ces fonctions permettent à leurs détenteurs d'accéder à des biens qui sont interdits même à des fonctionnaires du parti haut placés, des académiciens ou des généraux. Dans cette sphère, le personnage est une personne relativement instruite, délurée, vaniteuse et avide, précocement rompue aux manœuvres dans les coulisses de la société et remarquablement au fait de ses mécanismes, parfaitement cynique, prête à commettre n'importe quelle vilenie si les circonstances lui sont propices, pour arracher quelque avantage, habile, pleine de ressources, connaissant l'art de dissimuler sa nature véritable.

Certaines formes d'activité « créatrice » sont soumises à une protection particulière de la part du pouvoir. C'est le cas, par exemple, du ballet, du cirque, des ensembles de chants et danses folkloriques. Elles répondent aux goûts des milieux dirigeants ou bien font partie de la stratégie de l'Etat. Ainsi, le ballet soviétique a longtemps servi la propagande du mode de vie soviétique en Occident. Les danseurs soviétiques ne se contentent pas de danser, ils démontrent par chacun de leurs mouvements la justesse des idées du communisme et la supériorité du mode de vie soviétique sur l'Occident. La caractéristique de toutes ces formes de « création », encouragées et imposées par l'Etat est qu'elles sont en apparence éloignées de la politique, de l'idéologie et de la conscience que la société a d'elle-même. Mais d'une façon ou d'une autre, l'idéologie y fait irruption, exerçant, là aussi, son action corrosive.

Officiellement, en Union Soviétique, la création n'est pas seulement encouragée, elle est un devoir. Chacun est tenu de faire preuve d'une « démarche créatrice », les étudiants comme les ouvriers ou les dirigeants. Les ouvriers sont appelés à proposer des projets de rationalisation de la production. Les étudiants sont appelés à verser leur contribution à la science, dès leurs premières années d'études. Les auditeurs des écoles du parti sont appelés à développer le marxisme de façon créatrice dans leurs exposés analphabètes, recopiés généralement dans les brochures de vulgarisation. Mais en pratique, tout ceci dégénère en creuses formalités et en étouffement des véritables tentatives de création. L'idéologie communiste promet de créer les conditions pour un développement total des possibilités créatrices de l'homme, mais cette promesse ne pourrait être réalisée même si les dirigeants le désiraient sincèrement, les masses moyennement médiocres des gouvernés ne leur permettraient pas de se livrer à des actions aussi peu réfléchies. Mais les dirigeants sont incapables de désirer une chose pareille, étant donné leur mode de sélection. Ils sont eux-mêmes l'expression la plus éclatante du règne de la médiocrité et de la grisaille.

L'idéologie

La société soviétique est idéologique de par le rôle que l'idéologie joue dans cette société, l'importance qu'on lui accorde, les moyens qui sont mis à sa disposition, la façon dont elle influence la conscience et le comportement des hommes.

On croit souvent en Occident que les Soviétiques ne croient plus au marxisme et que ce serait là le signe d'une faiblesse du système soviétique. Une telle opinion témoigne d'une incompréhension de la nature de l'idéologie soviétique. L'idéologie n'est pas la science, bien que (comme c'est arrivé pour le marxisme) elle puisse surgir avec des prétentions scientifiques et qu'elle puisse utiliser les acquis de la science (comme c'est le cas de l'idéologie soviétique). Son but n'est pas de découvrir des vérités, mais de standardiser, d'organiser la conscience sociale et de gouverner les hommes en conditionnant leur conscience. L'idéologie n'est pas non plus une religion. On ne croit pas en une idéologie, on l'adopte par calcul rationnel, c'est-à-dire qu'on accepte de la prendre pour ce qu'elle prétend être et qu'on le manifeste publiquement. On l'assimile de telle façon que cela se répercute sur le mode de pensée et le comportement de chacun, dans la mesure où on se livre à ce calcul social.

On considère l'idéologie marxiste comme un projet de société, selon lequel on aurait construit la société soviétique. C'est une idée préconçue. La société soviétique s'est formée à la faveur d'un concours de circonstances historiques, d'une expérience qui coûta des sacrifices énormes, de l'action de lois sociales objectives qui règlent l'organisation de larges masses humaines dont elles font un tout homogène, en un mot, on peut dire qu'elle s'est formée « à l'aveuglette ». Les textes marxistes ont fourni un matériau verbal très commode pour créer une idéologie d'État unique. Ces textes correspondaient aux conditions objectives de l'évolution historique, ils furent modifiés, dûment interprétés, complétés. Le marxisme a donné son nom à l'idéologie soviétique, ainsi que certaines idées fondamentales et les bases du langage idéologique. Mais l'idéologie soviétique ne se ramène pas au marxisme. Qu'il suffise de dire qu'elle a englobé le léninisme et le stalinisme (dans ce dernier cas, sous une forme implicite), qu'elle a subi l'influence du

47

développement de la société soviétique et de l'humanité en général au cours des dernières décennies, qu'elle a assimilé toute une série d'acquis de la science contemporaine.

Il est vrai que les gens ne croient pas à l'idéologie soviétique, au sens où ils ne croient pas au paradis terrestre promis par le marxisme, à l'abondance des biens de consommation, au développement de toutes les possibilités créatrices de l'homme, à la liberté authentique, à l'égalité et à la justice. Mais l'idéologie soviétique ne se limite pas à ces promesses, qui n'en sont qu'une petite partie. L'idéologie soviétique est principalement composée d'une doctrine de l'univers, de la société, de l'homme, de la connaissance, des méthodes de pensée. Bien que ce ne soit pas une science à proprement parler, elle inculque une conception du monde unique et une attitude intellectuelle standard devant tout ce qui peut se passer dans le monde, une façon de penser standardisée. Quelle que soit l'attitude subjective de chacun à l'égard de l'idéologie, pratiquement la vie de tous se déroule dans le champ d'action de l'idéologie, et l'on se contraint constamment à penser de la façon exigée par l'idéologie. De gré ou de force, chacun subit un entraînement permanent au mode de pensée idéologique, sans qu'on soit en mesure de s'en débarrasser. Et même lorsque certains individus ont une attitude critique à l'égard du marxisme et de leur propre mode de vie, ils n'en continuent pas moins à penser avec les catégories et dans le cadre de la pensée idéologique. Grâce à ce puissant système de conditionnement idéologique, il se forme une sorte de standard intellectuel, depuis la femme de ménage jusqu'au secrétaire général du parti communiste.

La conception idéologique du monde, les formes de comportement justifiées par l'idéologie conviennent mieux aux conditions de vie de la société moderne que la conception religieuse du monde et les formes de comportement fondées sur la morale. Ajoutez à tout ceci un puissant appareil idéologique et un système d'éducation et d'instruction idéologiques, sans précédent dans l'histoire de l'humanité, auquel il est tout simplement impossible d'échapper. Ce sont les écoles, les instituts, les établissements scolaires spécialisés, les séminaires, les cours du soir, les clubs... L'idéologie pénètre l'ensemble de la culture (la presse, la littérature, la radio, la télévision). Il est évident qu'aucune religion ne pourrait soutenir la concurrence avec cette idéologie d'Etat, pas plus qu'une autre idéologie hérétique. L'individu conditionné par l'idéologie a moins de peine à vivre dans la société soviétique. En retour, les dirigeants peuvent le manipuler plus facilement, il leur est plus facile de sauvegarder l'unité, l'homogénéité et le monolithisme de la société.

L'idéologie soviétique n'est pas seulement une idéologie de parti. Il est vrai que le « travail » idéologique est une des principales fonctions du parti. Mais ce travail, placé sous le contrôle du parti, est le fait de l'ensemble de la sphère culturelle. Et son objet est toute la population du pays.

Conclusion

Le mode de vie soviétique n'est pas donné une fois pour toutes, ce n'est pas un phénomène immuable. Il

49

s'est formé historiquement, et la période stalinienne fut sa jeunesse, sa genèse. Actuellement, il est entré dans sa phase de maturité. Mais la maturité d'un organisme social est soumise elle aussi, naturellement, à de perpétuels changements. Pourtant, quels que soient ces changements, les fondements, les lois, les tendances essentielles de ce mode de vie restent immuables. Il est absurde d'espérer que cette société se mette à évoluer dans le sens d'une société démocratique de type occidental, sous l'action de facteurs internes et l'influence bénéfique de l'Occident. Au contraire, il est facile d'observer que c'est l'Occident lui-même qui, sous l'action de certains facteurs internes et du mauvais exemple soviétique, évolue dans le sens d'une société de type communiste. L'Union Soviétique est un modèle classique de ce qui attend l'Occident s'il va jusqu'au terme de son évolution actuelle, s'il ne trouve pas en lui les forces de s'opposer à cette tendance. Les Occidentaux espèrent que, s'ils ne réussissent pas à échapper au communisme, du moins celui-ci sera-t-il meilleur que le système soviétique. Tout est possible. Peut-être sera-t-il en effet un tout petit peu plus nourrissant, plus amusant, plus coloré. Mais cette légère nuance ne saurait dissimuler les fondements essentiels qui, eux, resteraient les mêmes, en vertu de lois ne dépendant pas de la volonté des hommes. Et puis qui sait, peut-être le communisme occidental sera-t-il pire. Par exemple, si les Allemands se lancent dans cette entreprise, ils bâtiront un communisme au regard duquel l'Allemagne nazie apparaîtrait comme le summum du libéralisme. Le communisme soviétique peut s'avérer un peu plus doux que son homologue occidental, car les

Russes font tout à la va-comme-je-te-pousse, même leur société.

Si l'on raisonne abstraitement, l'avenir le plus probable de la société communiste, c'est le développement et le renforcement des tendances qui y sont toujours à l'œuvre, y compris de nos jours. Parmi elles, il faut citer la division de la société en classes, l'inégalité sociale et matérielle, les privilèges réservés aux couches supérieures et les garanties minimales qui sont le lot des catégories inférieures, l'asservissement de toute la population, la création d'une armée d'esclaves, le renforcement des organes de répression et de surveillance, l'écrasement de toutes les tentatives d'opposition et de résistance, en un mot, un stalinisme perfectionné qui aura absorbé tous les acquis de la période « libérale » post-stalinienne, en particulier la sécurité des classes dirigeantes. Pour parler concrètement, la perspective future la plus probable, c'est la lutte entre pays communistes et non communistes, la lutte entre les pays communistes eux-mêmes, la lutte au sein des pays communistes, bref la lutte de tous contre tous. Il n'y a jamais eu et il n'y aura jamais de société idéale et d'état idéal pour tous. La prospérité actuelle de l'Occident est un zigzag fortuit et provisoire de l'histoire.

Munich, août 1980.

Notes sur le mode de vie russo-soviétique

L'Union Soviétique n'est pas seulement la Russie. Pourtant, même s'il s'agissait de la seule Russie, il n'en faudrait pas moins commencer par cette constatation banale : les gens ont des vies différentes selon les régions de la Russie qu'ils habitent. Dans certains endroits on peut voir par exemple de longues files d'attente pour l'achat de produits de consommation ; ailleurs, point de queue, car les magasins n'y contiennent rien qui puisse donner lieu à une file d'attente. Dans certains endroits, on peut voir de pittoresques coupoles d'églises, restaurées pour les touristes étrangers ; ailleurs, on n'aperçoit que de sinistres squelettes de clochers. Souvent, même, on ne voit rien qui puisse rappeler la religiosité passée du peuple russe. Quelquefois, on peut buter contre le corps d'un ivrogne barrant le trottoir ; ailleurs, il est inutile de rêver d'une pareille chance. Essayez seulement de vous installer sur le trottoir d'un bourg des régions polaires ! Pourtant, on y boit plutôt davantage que dans les contrées plus tempérées ; on y boit de l'alcool à 90 degrés pur, par chopes entières. Bref, les gens ont des vies différentes selon telle ou telle région. Et même au sein d'une région, le mode de vie diffère selon les groupes de population. Par exemple, les uns se lèvent à l'aube pour bourrer les autobus et les wagons de métro, les autres, après avoir dormi tout leur soûl, se dirigent vers leur lieu de travail, dans leurs voitures de fonction. Les uns prennent d'assaut des magasins presque vides (vides de produits, mais non de clients), après avoir travaillé toute la journée ; les autres sont approvisionnés à domicile par les magasins réservés, qui leur livrent des produits dont les simples citoyens ont perdu jusqu'à la notion.

Le mode de vie soviétique possède toutefois certains traits caractéristiques. Je dis bien caractéristiques, et non généraux, car ils ne sont pas nécessairement largement répandus, fréquents ou universels. Ce sont des traits dont l'étude peut aider à comprendre la structure sociale du pays. Par exemple, il n'arrive pas souvent que l'Union Soviétique envahisse des pays voisins. Au cours des dernières années, on ne peut citer que l'intervention en Afghanistan. Mais ce fait isolé (pour le moment !) exprime l'essence de l'Union Soviétique en tant qu'Etat communiste. C'est pourquoi je commencerai mon propos par une affirmation d'ordre négatif : les églises qu'on montre habituellement aux étrangers en Union Soviétique ont beau offrir un spectacle pittoresque, elles ne sont pas pour autant caractéristiques du mode de vie soviétique. La société communiste est une société antireligieuse. Si actuellement la religion est tolérée en U.R.S.S. (dans ses formes traditionnellement reconnues), cela signifie seulement qu'actuellement elle ne menace plus les fondements de l'organisation sociale. Certes, on peut encore voir en Russie des églises ouvertes et des foules de croyants dans les centres religieux. Actuellement, on parle beaucoup d'une renaissance religieuse en Russie. Hélas, ce ne sont que des illusions. Si les ivrognes russes avaient la possibilité et l'occasion de se réunir en masse, on pourrait tout aussi bien parler d'une renaissance alcoolique de la Russie. Cependant, pour la masse essentielle de la population, la société communiste n'est ni alcoolique, ni religieuse, et c'est sur elle que repose le système social.

Mon allusion aux ivrognes n'est pas fortuite : que voilà un phénomène caractéristique. On buvait aussi en Russie avant la révolution, mais il n'empêche que l'alcool y est actuellement reproduit par tout le système de vie. Officiellement, on mène en Union Soviétique un combat contre l'alcoolisme, car la société subit à cause de lui des pertes immenses. Pour la seule Moscou, par exemple, les pertes quotidiennes en heures de travail, dues à l'ivrognerie, équivalent à l'arrêt d'une grande usine de plusieurs dizaines de milliers d'ouvriers. Et que dire des pannes, des malfaçons, des accidents ! De la faible productivité du travail, de la mauvaise qualité de la production ! Et les drames familiaux ! Et les crimes ! C'est pourquoi le pays connaît régulièrement des campagnes antialcooliques. Mais leur résultat est plutôt lamentable. Sur les lieux de travail, on critique ou on punit les alcooliques les plus notoires. Les tribunaux rendent des verdicts plus sévères que de coutume lorsqu'ils jugent des délits accomplis en état d'ébriété. On ferme les débits, dans la mesure où il n'y a plus de bière à vendre. On augmente les prix de la vodka et du vin. A dire vrai, la campagne sert précisément, en grande partie, à atténuer l'impression produite par l'augmentation prévue.

Personne, parmi la population, ne croit ni au sérieux, ni à la sincérité de ce genre de campagnes. Elles sont hypocrites et ambiguës : leur résultat final, c'est l'exacerbation de ce même alcoolisme qu'elles prétendent combattre. Que se passerait-il dans ce pays, si tout à coup les Russes cessaient de boire ? Les conséquences pourraient être catastrophiques. L'économie du pays pourrait subir une épreuve irréparable et les moujiks russes, une fois sobres, pourraient réfléchir à leur lamentable existence. Et qui sait... Non, mieux vaut ne pas y penser ! Il vaut encore mieux qu'ils boivent, qu'ils braillent de vieilles et tristes chansons russes, de leurs voix fort peu musicales et qu'ils se vautrent dans les fossés. Quoique les fossés, actuellement, c'est une exagération évidente. Les Russes savent qu'il n'est pas toujours ni partout possible de se vautrer en état d'ébriété. Par exemple, il ne faut pas le faire si on peut être vu des étrangers. Car se vautrer non plus, ça ne s'improvise pas. Ça demande aussi une culture particulière, élaborée depuis des siècles, et à laquelle le climat contribue fort peu. Encore qu'il y ait là une sorte de loi métaphysique. Il y a bien des années, j'avais participé à une soi-disant Milice populaire : ce sont des employés sélectionnés sur leur lieu de travail, à titre d'aides « bénévoles » de la police. Un jour, en hiver, nous ramassâmes plus d'une dizaine d'ivrognes dans le quartier que nous surveillions. Il faisait moins trente et pourtant aucun d'entre eux n'était gelé, tandis que nous, nous eûmes des engelures au nez ou aux joues.

Au temps de Staline, époque que les vieux ivrognes russes évoquent avec nostalgie (la vodka ne coûtait pas cher, il y avait de quoi casser la croûte après chaque verre, la police considérait les alcooliques avec un grand respect !), les soûlots traînaient n'importe où, parfois même du côté de la Place Rouge. Pendant les fêtes on prévoyait des endroits spéciaux où on traînait tous les ivrognes qu'on trouvait le nez dans le ruisseau. Un de ces endroits se trouvait précisément là où l'on s'apprêtait à bâtir le plus haut édifice du monde (il fallait bien dépasser l'Amérique dans le domaine des gratte-ciel !) et où, par la suite, on construisit une piscine. Pendant les défilés de fêtes, le spectacle y était indescriptible. C'est maintenant qu'on sélectionne pour les défilés, dans les entreprises, des citoyens point trop portés sur la boisson. Au temps de Staline, on traînait aux défilés toute la population adulte sans exception, et qui plus est, les gens amenaient aussi leurs enfants. A chaque coin de rue, on organisait des points de restauration et de libation. Les travailleurs se préparaient à défiler dès l'aurore. Le temps d'arriver aux rues qui menaient à la Place Rouge, beaucoup se soûlaient jusqu'à perdre conscience. On les traînait dans les cours et les squares les plus proches. Les plus stoïques gagnaient à grand-peine les approches du centre de la capitale et s'affalaient près du Manège, l'Okhotny Riad ou l'Université. Ceci me rappelle un épisode agréable. Deux de mes camarades d'Université, des anciens du front, se couchèrent en toute liberté sur le trottoir de la rue Herzen (qui faisait partie de notre itinéraire). Naturellement, on les traîna aux lieux de stockage spécialement prévus. Par solidarité avec eux (et aussi du fait de mon attitude critique à l'égard du stalinisme !) je les suivis. Le soir venu, après être restés vautrés tout notre soûl, nous formâmes une bande magnifique et fîmes la java pendant trois journées consécutives. Il faut ajouter que l'ivrognerie en Russie joue un rôle social particulier. Elle embellit l'indigence de l'existence et rapproche spirituellement des hommes qui, à l'état normal, ne se tendraient même pas la main. L'ivrognerie est une lumière de l'âme, la médecine universelle de toutes les souffrances morales, la compensation des échecs, l'imitation de la grandeur... On peut dire que c'est, en fait, la religion nationale que ne saurait concurrencer non seulement l'orthodoxie toujours renaissante (mais toujours pitoyable), mais aussi l'idéologie communiste officielle. Il est vrai qu'elle n'essaie pas (pas plus d'ailleurs que la religion) de concurrencer cette idéologie.

Il serait difficile d'imaginer la société soviétique sans l'ivrognerie, sans une ivrognerie universelle tant sur le plan géographique que social. Mais il serait encore plus difficile de l'imaginer sans les files d'attente. Selon mes calculs grossiers, le temps qu'on perd en Russie à faire la queue équivaut au moins au temps de travail d'un Etat de vingt millions d'habitants. Mais ce temps est-il réellement perdu ? Car on ne fait pas la queue pendant sa journée de travail, mais après, alors que, en principe, on devrait se reposer, se cultiver, se distraire et se consacrer à ses occupations personnelles, dignes d'une population civilisée de la fin du vingtième siècle. En fait, les gens perdent des morceaux entiers de leur vie, uniquement pour se procurer des produits d'alimentation et des articles vestimentaires, pour consulter un médecin ou obtenir un billet d'avion. Ce faisant, ils ne perdent pas seulement leur temps. Les files d'attente entraînent immanquablement l'abrutissement intellectuel, la hargne, la mauvaise humeur permanente. En outre, toute l'horreur est que l'absence de files d'attente ne soit pas nécessairement un bien, ni que la queue soit un mal. Car le fait qu'il n'y ait pas la queue signifie habituellement que fait défaut ce pour quoi les gens sont prêts à perdre de longues heures, auquel cas l'absence de queue leur inspire un désespoir sans issue. L'existence des files d'attente leur laisse encore l'espoir, même modeste, de se procurer ce dont ils ont besoin, de se le procurer sans faire la queue ou « au noir ». Le Soviétique est si habitué aux files d'attente que lorsqu'il réussit à se procurer quelque chose sans faire la queue, il soupçonne un piège.

Dans la société communiste, les files d'attente ne sont pas un phénomène provisoire. Elles peuvent partiellement disparaître si tout est rationné. Mais tant qu'il existe un commerce « libre » (non normalisé), elles sont inévitables. C'est qu'elles sont une des manifestations d'un principe très profond de la société communiste : les citoyens ordinaires doivent tout s'y procurer avec les plus grandes difficultés ou pas du tout car, dans ce cas, une population est plus facile à manipuler. C'est pourquoi, dans la société soviétique, tout est rendu difficile à ceux qui ne sont pas des privilégiés. Il est difficile d'inscrire son enfant à l'école maternelle. Il est difficile de s'inscrire dans un établissement d'enseignement supérieur. Il est extrêmement difficile de se faire attribuer un appartement. Difficile de se faire attribuer un séjour en maison de vacances et presque impossible si on a des enfants. Difficile d'avoir une chambre dans un hôtel… Bref, dans toutes les situations clés de l'existence quotidienne, les gens doivent affronter des problèmes à première vue absurdes, qui leur font perdre leur temps, leur santé, leur argent. Mais, je le répète, ces problèmes ne sont absurdes qu'à première vue. En réalité, ce qui est à l'œuvre ici, c'est un instinct social profond qui condamne les gens à se battre pour de misérables miettes et qui détourne leurs forces et leur attention des problèmes politiques et sociaux. J'observerai en passant que le mouvement dissident aurait été impossible sans les améliorations des conditions de vie qui marquèrent la période post-stalinienne : beaucoup d'intellectuels ont reçu ou reçoivent des appartements individuels coopératifs, le téléphone et le poste de radio sont entrés dans les mœurs, beaucoup ont fait l'acquisition de voitures, les voyages touristiques en Occident sont devenus plus fréquents. Pour lutter contre une amélioration des conditions de vie, il faut une amélioration même minimale de ces conditions de vie : problème qui se pose aux dirigeants soviétiques. Pour le moment, ils affrontent ce problème en empruntant la voie d'une aggravation foudroyante de ces conditions de vie, créant dans le pays un état d'esprit quasi militaire.

Tout autant que les ivrognes, on peut voir, dans les villes et les villages russes, des personnes recouvertes de décorations et de médailles. Ce sont des personnes âgées qui portent encore leurs décorations militaires ou celles de leurs « exploits au travail ». Ce sont aussi, bien sûr, des militaires, qui trouvent le moyen de se faire décerner des décorations même en temps de paix. Mais la majorité des citoyens qui ont reçu des décorations s'abstiennent habituellement de les porter ou les arborent dans des occasions particulièrement importantes. Or, c'est une catégorie très nombreuse. Il est difficile de trouver dans le pays un adulte qui n'ait pas déjà été décoré ou, dans le pire des cas, qui n'ait pas été gratifié d'un « diplôme d'honneur ». Ici, même les villes, les régions, les usines, les instituts, les universités sont décorés. A ce propos, la jeunesse fait volontiers de l'ironie, de même d'ailleurs que certains adultes, surtout lorsqu'ils ont été oubliés, et considèrent que ce système de récompense est purement formel. Ils ont tort. Ce système joue un rôle immense dans la société soviétique. Si l'on veut se faire une idée de l'essence profonde de cette société, il faut étudier son système de récompense.

Dans une chanson soviétique, qui fut très populaire en son temps, on annonce que chacun reçoit selon ses mérites. Il en est réellement ainsi. Mais qui définit ces « mérites » ? Ils sont régis par certains principes et par certaines normes. Par exemple, le degré de la récompense décernée dépend du rang de la personne récompensée. Si l'on fête le soixantième anniversaire d'un membre du Politbureau du parti, il est gratifié du titre honorifique de « Héros du travail socialiste » ; s'il s'agit d'une personne trop jeune ou ayant quelque faute à se reprocher, elle n'a droit qu'à l'ordre de Lénine. Enfin, si c'est un ouvrier ordinaire, il reçoit une médaille, un « diplôme d'honneur » ou des remerciements de son entreprise. Ou encore rien du tout. Bien sûr, ce principe hiérarchique de récompenses est parfois enfreint, afin qu'on ait l'impression d'une égalité de tous devant ces récompenses. La situation est analogue à celle qui a lieu dans l'Académie des Sciences, où l'on élit parfois de véritables savants afin que les autres fonctionnaires puissent passer également pour des savants. Récompense-t-on ou non des mérites réels ? La question n'a pas de sens : cela dépend des situations. Parfois, l'on récompense des mérites réels, pour sauvegarder la valeur morale du système des récompenses. Mais la majorité de ces récompenses n'ont pas de rapport avec des mérites particuliers. Même pendant la guerre, la plupart des décorations (particulièrement chez les gradés supérieurs) répondaient aux normes habituelles. Bien des années après la guerre, Brejnev fut gratifié des plus hautes décorations, pour ses mérites militaires qui avaient été pour le moins modestes. Le même Brejnev reçut le prix Lénine de littérature pour un écrit extrêmement médiocre dont il n'était même pas l'auteur. Or, son exemple est caractéristique. Ils sont si nombreux, les directeurs d'instituts de recherche qui ont été décorés pour des découvertes fictives ou des découvertes réelles dont ils n'étaient pas les auteurs ! Si l'on faisait la somme de toutes les décorations décernées aux maréchaux, aux généraux et aux officiers soviétiques pendant la dernière guerre et si l'on pouvait calculer leur équivalent en mérites, on découvrirait que l'ennemi aurait dû être écrasé peut-être deux ans avant la fin réelle de la guerre, et que les pertes soviétiques auraient dû être dix fois moins élevées qu'elles ne le furent en réalité. Et si l'on pouvait évaluer l'équivalent en mérites des décorations du « travail » décernées au cours de l'après-guerre, on découvrirait que le pays devrait nager dans une abondance bien supérieure à celle de l'Occident.

Les récompenses ont de multiples fonctions. C'est la satisfaction de la vanité. Une manière de signifier la position sociale de l'individu et de son avenir. Une des conditions pour une carrière. Une façon de compenser l'absence de rétributions matérielles : des médailles à défaut d'appartements ou de viande. On décerne ces récompenses lors des fêtes nationales, des commémorations, des événements particuliers (achèvement de la construction de bâtiments importants, ouverture d'une nouvelle usine, etc.). Des personnes et des organisations spécialisées sélectionnent méticuleusement des candidats aux récompenses et déterminent le degré de celles-ci. Ce faisant, ils tiennent compte d'un grand nombre de paramètres : la situation sociale, la nationalité, le sexe, l'âge, le comportement privé et au travail (dans la « collectivité »). Les lieux de travail sont le théâtre d'une lutte acharnée, car le sort de bien des personnes dépend de la récompense et de la nature de cette récompense. Lorsqu'une personne, dont le statut exige une décoration de haut niveau, se voit décerner une décoration moindre ou même seulement une médaille, alors cela signifie que sa situation est en train d'empirer, que sa carrière est bloquée, ou même qu'elle est en passe de s'effondrer. La société communiste est une société où chacun est récompensé selon ses mérites, mais l'ampleur de ces mérites est fixée non pas par un juge impartial, mais par la collectivité des collègues, par les chefs, les organismes du parti et de l'Etat. C'est la situation sociale de chacun qui détermine ses mérites. Il est frappant de constater qu'en Occident, où l'on devrait bien connaître, semble-t-il, le prix des grades, des titres et des décorations soviétiques, on les considère au contraire avec le plus grand respect, se solidarisant de la sorte avec l'hypocrite système soviétique de répartition des biens. Même les dissidents pourvus de titres et de décorations y sont davantage prisés que ceux qui en sont dépourvus. On oublie ce faisant que ces titres et décorations ont été décernés selon les lois du mode de vie soviétique (communiste).

L'on dit souvent : à quelque chose malheur est bon. Mais on pourrait dire tout aussi bien : à quelque chose bonheur est mauvais. La révolution socialiste bouleverse la situation sociale de la femme, en sorte qu'elle s'assimile davantage à celle de l'homme. Cela est indéniable. Mais... Par exemple, il y a des travaux sur une voie ferrée. Qui transporte et pose les rails ? Les femmes. On bitume une rue : là encore, ce sont les femmes qui font le travail le plus salissant et le plus pénible. Dans les campagnes, il en est de même. Les femmes font les travaux de terrassement, chargent les briques, peignent les bâtiments, ramassent les ordures. Mais les femmes qui ont un travail « facile » et « propre » (qui font un travail de bureau, soignent les malades, enseignent aux enfants) ne sont pas libérées pour autant des soucis qui les attendent chez elles. Ce qui veut dire le mari, les enfants, les parents. Ce qui veut dire la lessive, la cuisine, le ménage et une foule de besognes qu'il faut accomplir même dans la société communiste idéale (selon l'idéologie et la propagande). Les difficultés de la vie quotidienne frappent avant tout les femmes. Voyez les files d'attente ! Elles sont composées essentiellement de femmes. Et je ne parle même pas de problèmes spécifiquement féminins. A présent que j'ai vécu presque deux années en Occident, j'ai la possibilité de comparer les conditions de vie russes et occidentales. Cette comparaison a de quoi vous plonger dans le désespoir. En fait, la façon dont le gouvernement soviétique se comporte à l'égard du peuple russe peut être définie comme un mépris éhonté, mais quant aux femmes, il faudrait plutôt parler de « crime ». La femme russe est littéralement pillée au regard des Occidentales. Pillée dans tous les domaines, que ce soit l'habillement, le logement, la cuisine, la vie sexuelle, les soins corporels, le repos. Il est indéniable qu'en Union Soviétique, les femmes ont davantage de possibilités pour accéder à des professions traditionnellement masculines, et la propagande ne se prive pas pour gonfler cet aspect des choses. Mais en même temps tout le monde tait soigneusement le fait que pour l'écrasante majorité des femmes, les conditions de vie sont bien plus dures en Union Soviétique qu'en Occident. Ce qui est frappant, c'est que les femmes russes elles-mêmes ne veulent pas le reconnaître et font silence sur leur sort. Il est vrai que ceci ne doit pas étonner : le reconnaître ne les soulagerait en rien, tandis que des illusions de liberté et d'égalité apportent du moins une certaine consolation.

En Union Soviétique, le travail est une obligation : toute personne valide doit être rattachée à un « collectif » de travail; pourtant, le nombre d'inactifs y dépasse largement celui des pays occidentaux. J'ai visité beaucoup de villes occidentales, mais nulle part, je n'ai vu autant d'oisifs que dans les villes soviétiques. Comment expliquer ce phénomène à première vue paradoxal ? Je citerai deux raisons. D'abord, il y a les retraités. La société communiste est une société de retraités. Ceux qui partent à la retraite sont des personnes encore relativement jeunes et parfois pleines de forces. Une partie continue à travailler quelque part, participe à toutes sortes de commissions, campagnes, etc., mais la majorité préfère le « repos mérité » (cliché soviétique officiel), c'est-à-dire l'inaction. La retraite est faible, mais elle est garantie et suffisante pour une existence pitoyable, mais relativement libre, indépendante avant tout des enfants et des soucis familiaux. La perspective de ce « repos mérité » joue un rôle immense dans la vie des Soviétiques. On y pense dès le début de son activité professionnelle, car bien peu réussissent à faire une carrière qui les libère du souci de leur vieillesse. La retraite garantie est un facteur important dans la manipulation des gens dans la société communiste. Car ce sont précisément les petites garanties et les inquiétudes qu'elle suscite qui rendent l'homme plus facilement gouvernable que s'il disposait de garanties importantes dont il n'ait pas à se soucier. Si ces garanties sont faibles, ce n'est donc pas parce que le pays est pauvre mais parce que la loi sociale décrite plus haut le veut ainsi. De temps à autre, ces garanties sont améliorées, mais de façon insignifiante, juste ce qu'il faut pour entretenir l'illusion d'un mouvement de la société vers un mieux et pour garder les retraités comme soutien du régime social existant. La seconde grande raison du phénomène que j'ai décrit est l'existence de professions et d'organismes ou d'entreprises qui permettent à un très grand nombre de personnes d'avoir un emploi purement formel tout en utilisant leur temps de travail comme bon leur semble. Ce genre de personnes est prêt à se résigner au niveau de vie le plus bas pourvu qu'il lui garde la possibilité de cette inaction officiellement autorisée. « Peu importe où on travaille pourvu qu'on ne travaille pas ! » n'est pas seulement une des plaisanteries favorites des Soviétiques, c'est aussi un principe très réel.

Lorsqu'on évoque le mode de vie soviétique, on ne

saurait passer l'armée sous silence. La majorité écrasante des unités militaires sont cantonnées de façon à ce qu'elles soient isolées des villes et des villages, mais on rencontre néanmoins bien plus souvent des soldats et des officiers qu'en Occident. Ceci n'est pas fortuit : actuellement, l'Union Soviétique est un pays au plus au point militariste. Outre un nombre immense d'officiers et de soldats d'active, accomplissant des périodes ou effectuant leur service militaire, il faut tenir compte également d'un nombre important de personnes qui ont d'une façon ou d'une autre un rapport avec l'armée. A l'issue de leurs instituts, beaucoup d'étudiants deviennent officiers sans avoir été arrachés à leurs études (les biologistes, les chimistes, les ingénieurs, etc.). Il est pratiquement impossible de tracer une frontière nette entre les entreprises et les organismes de recherche civils et militaires. Beaucoup de responsables (sinon la majorité d'entre eux), que ce soit au parti ou dans l'Etat, sont en même temps officiers ou généraux et l'ancien « commissaire » politique subalterne Brejnev est même devenu maréchal (n'oublions pas que Staline, chef du parti, fut aussi généralissime). Un nombre incalculable d'officiers retraités ou non occupent toutes sortes de postes dans tous les organismes et entreprises tant soit peu importants. Les colonels retraités pourraient combler tous les besoins des armées occidentales en officiers supérieurs. Des millions et des millions de citoyens sont comptés dans les mobilisables jusqu'à un âge assez avancé, répondent à toutes sortes de convocations pour des périodes, etc., et sont prêts à rejoindre l'armée active en quelques heures. Le pays peut être mis en état d'alerte dans un délai extraordinairement bref.

On justifie cette militarisation du pays tout entier par les intérêts de la défense et l'expérience encore récente de la Seconde Guerre mondiale. Néanmoins, cette « justification » est devenue depuis longtemps un pur artifice de propagande. D'après les lois de la dialectique si chères aux dirigeants soviétiques, la mesure des choses a été dépassée et nous sommes passés d'un état à son contraire : une défense excessive s'est muée en possibilité d'attaque et en attaque ouverte. Mais surtout, la militarisation de l'Etat communiste est une conséquence inévitable de ses lois sociales internes. A supposer même que l'Occident capitaliste disparaisse, les Etats communistes n'en demeureraient pas moins militarisés, et les guerres qui les opposeraient pourraient être encore plus destructrices que les guerres passées. Dans cet article, je voudrais attirer l'attention des lecteurs sur certaines particularités de l'armée soviétique que les Occidentaux auraient intérêt à connaître. Quelle que soit la puissance des nouveaux armements, la base de l'armée moderne demeure l'homme du rang et l'officier. Une armée pourvue d'armements les plus sophistiqués, peut s'avérer moins combative qu'une armée moins sophistiquée dans son armement, si ses soldats et officiers ne répondent pas à leur mission, qui est d'être prêts à combattre et à mourir. Lorsqu'on voit des soldats et officiers soviétiques, on a aussitôt envie de se moquer de leur uniforme absurde. En comparaison, les soldats occidentaux font figure d'élégance raffinée. Mais enfin, l'uniforme n'est pas destiné à la danse ou à la séduction des demoiselles, mais à l'apprentissage du combat et au combat lui-même. Un soldat vêtu comme un dandy n'est déjà plus un soldat à part

68

entière ou n'est plus un soldat du tout. Pour autant que je sache, le soldat américain reçoit une solde supérieure au salaire d'un docteur ès sciences soviétique. Un soldat si bien payé est de façon générale moins prêt à supporter les rigueurs de la vie militaire et à mourir que son homologue d'une armée où les soldats ont tout juste de quoi se payer des cigarettes. Le soldat soviétique perçoit une somme ridicule qui est pratiquement négligeable. Les soldats soviétiques font beaucoup de sport. Habituellement, ils restent pour cela en pantalons et en bottes, ou même en uniforme. Il n'y a que la ceinture qui fait défaut. Pour un Occidental, cela tient de l'absurdité. Mais c'est qu'un soldat n'est pas un sportif. L'entraînement physique du soldat diffère de celui d'un sportif. Personnellement, j'ai servi près de sept ans à l'armée. Encore aujourd'hui, je me rappelle le terrible champ de manœuvres, les nuits passées dans la neige, en hiver, les courses de vingt-cinq kilomètres avec tout l'équipement de combat (ce qui signifie un chargement de trente-deux kilogrammes !). Ajoutez à cela une préparation politique qui porte ses fruits, quoi qu'en disent les adversaires du régime. Et il ne faut pas oublier que la majorité des militaires soviétiques d'active disposent de nos jours d'une formation secondaire. Bref, selon moi, l'Union Soviétique est actuellement pourvue de l'armée la plus combative du monde du point de vue des effectifs, car ses hommes sont prêts à tout instant à faire leur travail professionnel de soldats. Voilà qui devrait faire réfléchir ceux dont dépend la défense occidentale.

Il arrive que les milieux dissidents soviétiques fassent savoir que tel ou tel jeune homme refuse de

69

servir dans l'armée, pour des raisons religieuses. Ces événements suscitent des discours sans fin, cependant que les millions et millions de jeunes gens qui sont prêts à prendre les armes, à s'en servir et qui le font effectivement, semblent échapper au champ de vision général. Ne vous bercez pas d'illusions ! Les armées et les hommes qui les composent se comportent selon des lois impitoyables. J'ai moi-même longtemps servi dans l'armée et je ne dissimulerai pas que, en dépit de mon attitude critique à l'égard du communisme, j'aurais, le cas échéant, fait mon devoir d'officier de réserve (j'ai prêté serment !), sauf circonstances exceptionnelles. Mon fils est officier de réserve, de même que mes frères et mes nombreux neveux. Si les circonstances l'exigent, ils seront de bons soldats de l'armée soviétique, j'en suis absolument certain. C'est le cas de dizaines de millions de Soviétiques. Appeler ces gens à jeter leurs armes ou à les retourner contre leurs chefs n'est pardonnable qu'aux émigrés russes qui n'ont aucune idée de la réalité soviétique. De tels appels sont opportuns en période de situation révolutionnaire, mais non dans une société stable ayant déjà vécu une révolution, vaincu dans une grande guerre destructrice, accumulé une expérience et produit des traditions durables. On sait qu'au cours des premiers mois de la dernière guerre, plusieurs millions de soldats soviétiques se sont rendus aux Allemands. Beaucoup espèrent en quelque chose de semblable pour la future guerre, arguant du fait que les Soviétiques ne croient guère au communisme et sont mécontents de leur mode de vie. Ce n'est pas le lieu ici d'examiner ce problème en détail, c'est pourquoi je n'en dirai que quelques mots. Lorsque la guerre commença, je me trouvais moi-même à la frontière occidentale de l'URSS. J'eus de la chance : je ne fus pas fait prisonnier. Je vous assure que la majorité des soldats soviétiques fut faite prisonnière non pas pour des raisons politiques, mais à cause de la sottise de leur commandement et d'un concours de circonstances. Se constituaient prisonnières des armées et des divisions entières, et non, individuellement, des soldats qui auraient eu la possibilité de choisir. Rien de pareil ne se produira dans la prochaine guerre. L'Union Soviétique ne se retrouvera plus dans une situation semblable. Elle a tiré les leçons du passé. En outre, actuellement, l'initiative militaire dans le monde revient à l'Union Soviétique. L'Occident devrait le comprendre et prendre des mesures réalistes pour se défendre, au lieu de se reposer sur des spectres du passé ou des mythes créés par des ignares et des sots irresponsables (si ce n'est pire).

Il y a encore en Russie de très nombreux villages qui ressemblent à ceux de l'Ancien Régime et qui éveillent une nostalgie à l'égard d'un passé irrémédiablement perdu. On peut même encore assister à des scènes qu'on peut interpréter de façon analogique, en les comparant à celles qui sont décrites dans la littérature russe classique ou représentées dans les tableaux des peintres « ambulants » du XIX⁰ siècle. Mais une possibilité abstraite ne constitue pas une réalité. On peut interpréter Lénine et Staline par analogie avec les tzars, bien que ce soit une erreur profonde, car ces dirigeants bolcheviks furent porteurs d'un pouvoir populaire, ils furent des chefs populaires. On peut aussi interpréter l'idéologie marxiste par analogie avec la religion, bien que ce soit également une grossière erreur, car l'idéologie est antireligieuse. On peut enfin verser des larmes attendries sur les villages russes actuels en évoquant la Russie éternelle (comme quoi les Lénine et les Staline passent, tandis que le peuple russe, lui, demeure). Pourtant, les villages russes actuels connaissent déjà les postes de radio et la télévision, les motocyclettes, les réfrigérateurs, sans parler du cinéma et des livres : pour le nombre de lecteurs, certains villages russes pourraient damer le pion à bien des villes occidentales.

En un mot, ne vous hâtez pas de tirer des conclusions lorsque vous apercevez des femmes pataugeant dans la boue : certaines d'entre elles ont peut-être une formation secondaire. Ne vous hâtez pas de tirer des conclusions lorsque vous voyez un ivrogne mal vêtu trébucher dans la rue : ce peut être un intellectuel pourvu d'un titre universitaire. Ne vous hâtez pas de tirer des conclusions devant le spectacle de personnes instruites fréquentant l'église, d'un couple s'y mariant ou d'un membre du parti faisant en secret baptiser son enfant : tout cela peut être totalement dépourvu de religiosité authentique. Ne vous hâtez pas de tirer des conclusions en croisant un soldat vêtu de façon ridicule : il peut s'avérer que c'est un guerrier redoutable, capable d'expédier dans l'autre monde des milliers d'êtres humains que lui désigneront ses commandants.

Les contestataires enfin. Ils sont, sans nul doute, des phénomènes caractéristiques de la vie russe contemporaine. Mais il est beaucoup plus difficile de les apercevoir que les ivrognes, les oisifs, les croyants, les soldats, les porteurs de médailles et les femmes occupées à de rudes travaux manuels. S'il arrive qu'ils se montrent au grand jour dans la rue de certaines villes (bien peu nombreuses, d'ailleurs), la milice les arrête immédiatement pour infractions à l'ordre public, ou même pour des chefs d'accusation plus graves. Le plus souvent, ce sont les journalistes étrangers qui les trouvent dans leurs appartements ou, plus exactement, ce sont eux qui se font connaître aux journalistes. Je ne saurais guère ajouter d'éléments nouveaux à tout ce qui a été écrit et dit en Occident à ce sujet. En outre, je me suis déjà exprimé plus d'une fois sur ce thème et je ne voudrais pas me répéter, c'est pourquoi je me bornerai à formuler une brève remarque. Le mouvement d'opposition soviétique, baptisé le plus souvent mouvement dissident, possède une particularité à laquelle personne, ou presque, ne prête attention : il s'agit de la disproportion entre les activités des opposants d'un côté, et le bruit qu'elles suscitent, la répression dont elles sont l'objet, de l'autre. Bien entendu, dans les dures conditions du régime soviétique, même une infime allusion quant au caractère douteux de sa respectabilité demande un grand courage civique. Je rends donc hommage à de telles personnalités courageuses. Mais il est bon aussi, quelquefois, de leur appliquer d'autres instruments de mesure, historiques et sociologiques. C'est ainsi qu'au regard des gigantesques dimensions du pays et des horreurs qu'il a subies et qu'il continue à subir du fait du régime social qui y règne, les protestations passées et présentes apparaissent comme infimes, à peine perceptibles et pratiquement sans influence sérieuse sur la politique intérieure et extérieure du gouvernement. Il n'y a aucune raison sérieuse d'espérer que dans un proche avenir, la situation évolue dans un sens favorable à l'opposition. L'obstacle essentiel au développement d'un mouvement d'opposition, ce n'est pas seulement et pas tant la répression dont il est l'objet et l'absence de soutien de la part des larges masses de la population, que les conditions naturelles de l'existence de cette société qui excluent, du moins à l'heure actuelle, la possibilité d'un programme positif de réforme de la société, capable de réunir un assez grand nombre de personnes et de donner une continuité au mouvement. C'est pourquoi les espoirs occidentaux quant aux contradictions internes de la société soviétique peuvent être mis au compte des illusions habituelles, d'un manque d'information ou d'un mensonge prémédité. Le cas de la société soviétique n'est pas une exception. Rappelez-vous les hordes de Gengis Khan! Combien de siècles a-t-il fallu pour que l'invasion tartare et mongole s'affaiblisse en raison de causes internes?! Dans le cas présent, les choses peuvent durer des millénaires. Et à la différence des Mongols, l'Union Soviétique s'efforcera d'imposer à l'Occident son mode de vie qui exclut un retour en arrière.

Le soviétisme*

1. Le problème « Ouest et Est »

Pour certains problèmes, l'abondance d'informations et un trop grand nombre de personnes impliquées et intéressées par eux, sont l'obstacle essentiel qui empêche leur résolution. Parfois ces problèmes sont banals, mais ceux qui en discutent s'efforcent de les compliquer et de les embrouiller de toutes les façons. Pourquoi le font-ils ? Les motifs peuvent être variés, par exemple, le désir de justifier son existence, cacher son impuissance, passer pour de grands malins, tirer profit de l'embrouillamini. Le problème « Ouest et Est » appartient à cette espèce. Aux motifs généraux qui empêchent les uns et les autres de rechercher la clarté et la précision en la matière, on peut ajouter, dans le cas présent, le désir de ne pas connaître une vérité effrayante, de ne pas agir, le calcul égoïste, la pression de l'opinion publique. Il faut citer aussi le mode de pensée pragmatique des uns et idéologisé des autres. En ce qui me concerne, ce problème est banal,

---

* Mai 1980. Réponses à des questions de lecteurs.

car je n'ai pas à gagner ma vie ou à m'auto-affirmer à partir de lui, je n'ai pas à songer à mon élection à un poste responsable ni à me soucier de l'opinion de collègues du parti. En outre, j'ai grandi, j'ai vécu la majeure partie de mon existence en Union Soviétique. C'est pourquoi, dans tout ce qui se rapporte à l'attitude de l'Union Soviétique envers l'Occident, il n'y a jamais eu aucun problème pour moi : dès le début, tout était parfaitement clair. Bien sûr, les penseurs occidentaux peuvent lancer à ce propos, l'air hautain, que cette « clarté initiale » n'était que l'esprit borné soviétique. Mettons que ce soit vrai. Sans doute, un membre de la horde de Gengis Khan était-il un être borné, comparé à ses contemporains les Européens. Il n'empêche que les conceptions bornées des objectifs et des perspectives de la horde étaient dès le début plus proches de la vérité que les réflexions les plus sophistiquées des Européens.

Si on débarrasse les thèses officielles soviétiques concernant les relations Est-Ouest de leur forme extérieure idéologique, de leur propagande, et si on en dégage l'essence pratique, efficiente, on aboutira au moins à ceci. Le problème « Est-Ouest » n'est qu'une dénomination géographique d'un problème profondément social, celui des relations entre les tendances communiste et capitaliste dans le monde contemporain. La lutte entre ces deux tendances a atteint à notre époque un haut degré de maturité et de gravité, prenant la forme de relations entre deux grandes puissances. Selon toute vraisemblance, elle sera la cause de la prochaine guerre mondiale (si toutefois, évidemment, l'Occident ne capitule pas « gentiment », comme on dit en Russie). Concilier ces deux tendances et rechercher une quelconque troisième voie est une affaire désespérée. Actuellement, la tendance communiste est la plus active. Elle avance avec succès, tandis que la tendance capitaliste se défend assez mollement. La prétendue coexistence pacifique de ces tendances n'est qu'une forme et une étape de leur lutte. Dans cette période, le but de la tendance communiste est d'utiliser l'Occident dans ses intérêts, le diviser, le démoraliser, l'intimider, le contraindre à une capitulation pacifique ou préparer son écrasement dans la prochaine guerre.

Je ne veux pas dire que la victoire du communisme dans le monde entier serait fatale. Je veux seulement souligner que le but final de l'Est concernant l'Ouest, c'est la destruction et la soumission de l'Occident. Cet objectif demeure quels que soient les changements de la situation dans le monde. Il demeure indépendamment de la volonté des dirigeants soviétiques et du peuple soviétique. Il demeure en tant que tendance objective du système de leurs rapports sociaux. Il n'y a pas de forces, au sein du système soviétique, capables de l'arrêter dans cette direction. Seules, des limitations extérieures peuvent y faire quelque chose, autrement dit une force externe égale ou supérieure. Aucun stratagème politique, aucun compromis, aucun louvoiement, aucun gage de bonne volonté des Occidentaux ne peut arrêter cette avancée inconsciente, obtuse et inéluctable que j'ai évoquée. Ce ne peut être que la force ! Ce ne peut être que la décision clairement exprimée de résister ! Tout le reste ne fait que contribuer à l'offensive communiste contre le monde entier, à l'encourager, à lui donner de l'assurance, à l'aider matériellement. Lorsque l'Occident refuse de croire à cet objectif de l'Union Soviétique, lorsqu'il croit aux promesses soviétiques, il va au suicide. Particulièrement maintenant, à l'heure où la lutte entre les tendances déjà citées entre dans un stade extrêmement dangereux.

2. *L'intervention en Afghanistan*

L'intervention soviétique en Afghanistan est un phénomène très intéressant d'un point de vue sociologique. On a écrit, on a dit toutes sortes de choses à ce propos, en Occident. Mais toutes ont laissé dans l'ombre l'essentiel du problème. Pourquoi ? Parce qu'on considère cet événement en termes de calcul rationnel, alors qu'il est essentiellement irrationnel. Certes, si l'on considère l'activité de tel ou tel personnage, il y avait bien là, il y a toujours un calcul rationnel. Certes, il n'est pas difficile, a posteriori, de trouver des considérations rationnelles. Mais fondamentalement, pour l'essentiel, je le répète, c'est un phénomène irrationnel. Il est impossible, théoriquement et pratiquement, de déceler tout le faisceau des relations de cause à effet en Union Soviétique et dans le monde, qui ont forcé le gouvernement soviétique à prendre la décision d'introduire les troupes soviétiques en Afghanistan. Il est de même impossible de le faire en ce qui concerne les conséquences de cet acte dans le monde. La seule possibilité logiquement légitime était ici de prévoir l'événement, ce qui était une tâche assez simple. Mais du point de vue du bon sens, la seule chose qui soit susceptible de réflexion, ce sont les mesures que l'Occident pourrait prendre en réponse à ce coup de l'Union Soviétique dans le jeu mondial.

Quelles que soient les pensées et les paroles de tel ou tel acteur de cette opération, elle fut fondamentalement, pour l'essentiel, un exemple classique de la tendance de la société communiste à s'étendre dans l'espace et à pénétrer dans tous les points du globe, dès lors qu'il s'offre pour cela la moindre possibilité. Comme je l'ai déjà dit, cette société ne comporte pas de mécanismes ou de forces capables de stopper cette tendance. Elle se répand sur la surface de la terre, tout comme l'eau, et seuls, des obstacles extérieurs peuvent poser des limites à cette effusion. La situation dans le monde était telle qu'il eût été étonnant que l'Union Soviétique n'envahisse pas l'Afghanistan. A l'occasion de la crise iranienne, l'Occident avait révélé une faiblesse stupéfiante. Même pour des simples d'esprit très peu informés de la situation internationale, il devenait évident qu'une intervention soviétique en Afghanistan se passerait pratiquement impunément.

Mais le système soviétique, comme <u>tout</u> autre système, est contradictoire. En particulier, il ne fait preuve de décision que dans ses élans et dans les débuts de son action, mais ensuite c'est le manque d'assurance et la mollesse qui prennent le dessus, ce qui est un phénomène ordinaire pour un torrent qui s'engouffre dans une brèche. Si le calcul rationnel avait dominé l'opération afghane, l'armée soviétique aurait gagné l'océan, occupant une partie du territoire pakistanais et iranien. L'émotion occidentale n'aurait pas été beaucoup plus forte, mais par contre, l'effet terrifiant de l'intervention soviétique sur l'opinion publique occidentale aurait été plus fort et les réponses occidentales ne seraient probablement guère allées plus loin que celles qui ont eu lieu. Mieux, l'Union Soviétique aurait pu faire preuve de générosité et faire un geste de bonne volonté : retirer pour quelque temps ses troupes de l'Iran et du Pakistan. Et pour la remercier, l'Occident aurait léché la partie du corps appropriée des dirigeants soviétiques.

L'invasion soviétique en Afghanistan joua d'autre part un certain rôle positif en Occident : beaucoup ont perdu leurs illusions concernant les intentions pacifiques de l'Union Soviétique, elle fut le signe de ses véritables intentions. De sorte que du point de vue des préparatifs de la prochaine guerre, l'intervention soviétique en Afghanistan pourrait bien rendre un très mauvais service à l'Union Soviétique, c'est-à-dire se retourner contre elle : argument de plus en faveur de la thèse de l'irrationalité de cette action.

3. *L'homme soviétique*

Toute formation sociale s'efforce, en vue de se conserver, de produire un type humain qui lui soit adéquat, qui devienne le principal rempart de cette société, le porteur de son modèle social. Puis cette formation sociale se reproduit essentiellement comme le fruit d'une vie normale des citoyens. Depuis la révolution, plusieurs générations se sont succédé en Union Soviétique. Il y a eu une grandiose sélection sociale. Les masses de la population se sont adaptées aux nouvelles conditions de la vie sociale. On peut donc parler maintenant d'un type humain soviétique qui est le porteur, le rempart, l'expression de la nouvelle organisation sociale soviétique.

Bien entendu, les Soviétiques sont très différents ; ils ont des traits qui permettent de reconnaître précisément en eux des Soviétiques, de même que nous reconnaissons des Chinois, bien que pour eux, ils ne se distinguent pas moins que les Européens. Les traits que j'évoque caractérisent les Soviétiques comme les citoyens d'une société socialiste (communiste). Ils sont propres également aux habitants des autres pays socialistes, à des degrés et sous des formes variables. Je n'évoquerai pas cet aspect des choses : pas de problème ici. Lorsqu'on évoque les traits d'un Soviétique, on songe à ceux qui vivent sur le territoire de l'Union Soviétique, qui sont conditionnés par le mode de vie communiste et qui perpétuent ce mode de vie.

En dégageant le type humain soviétique, je ne veux pas du tout dire que tous les Soviétiques en sont dotés. Il s'agit, bien entendu, d'une abstraction. On a toujours eu recours à de telles abstractions, en évoquant les types français, russe, espagnol. Les traits caractéristiques du Soviétique abstrait sont répartis, dans les personnes réelles, sous des formes très diverses, de même que les combinaisons et les grandeurs. Le fait que les Italiens soient un peuple musical n'implique pas que tout Italien ait une belle voix et une bonne oreille ; de même le fait qu'on ne puisse pas compter sur un Soviétique dans certaines situations n'implique pas qu'il en soit ainsi de tout Soviétique, en toutes circonstances. Les hommes ne sont pas des grandeurs mathématiques, ni des figures aux caractéristiques nettement affirmées, mais des êtres à facettes, changeants, vivants. Définir un Soviétique au même titre que nous définissons le triangle, le losange, les nombres simples ou composés, est évidemment impossible.

Les traits du Soviétique ne sont pas innés. Ils sont le fruit d'une éducation correspondant aux conditions d'existence, le fruit d'une adaptation sociale. Il ne s'ensuit pas que ces traits soient fragiles. Comme il s'agit de la reproduction d'un matériau humain à une échelle immense et sur une série de générations, ces traits s'avèrent relativement aussi stables que des traits biologiques, qui sont aussi, après tout, le produit d'un processus massif d'adaptation. C'est pourquoi on ne peut décrire le type social soviétique si on ne décrit pas le milieu social auquel il s'adapte. Si on l'arrache à son milieu social habituel, le Soviétique n'a plus la possibilité de faire jouer ses traits caractéristiques (de même que les mouvements d'un poisson rejeté sur le sable ne permettent pas de juger de ses traits en tant qu'être nageant dans l'eau).

Si vous voulez savoir ce qu'est le Soviétique, prenez sa description idéalisée dans la presse ou la littérature soviétiques, débarrassez-le de cette idéalisation en rose (ou donnez-lui un sens pratique), ce qui n'est pas très difficile. Vous obtiendrez alors un portrait assez exact. La presse soviétique, la littérature apologétique, ne mentent pas : elles ne font qu'idéaliser une situation de fait. Lisez-les attentivement, regardez-les, réfléchissez bien à ces portraits idéaux ! Peut-être remarquerez-vous, sans aide extérieure, l'être réel sous son maquillage apologétique. Alors il vous paraîtra plus effrayant maquillé que sans son maquillage.

En un mot, il faut retenir des situations caractéristiques, typiques du mode de vie soviétique, et se poser la question : comment agirait un Soviétique dans cette situation ? La réponse à cette question vous composera le portrait du type humain soviétique. Par exemple, on augmente les prix de certaines denrées. Le Soviétique protestera-t-il publiquement ? La réponse est facile : non, bien entendu. Voilà un trait général des Soviétiques : la docilité envers les ordres des supérieurs. Ce trait cohabite avec celui-ci : l'habitude de vivre dans d'assez mauvaises conditions, la patience, la résignation à toute nouvelle difficulté. Ou bien posez-vous cette autre question : comment agira le Soviétique si on exige de lui qu'il exprime ouvertement sa position envers les dissidents ? Là encore, vous pourrez répondre vous-mêmes : il approuvera l'action du pouvoir et condamnera le comportement des dissidents. On découvre là tout un bouquet de traits soviétiques : la tendance à entraver ceux qui enfreignent des normes de comportement habituelles ; la flagornerie devant les autorités ; la solidarité avec la majorité et avec les formes de comportement reconnues. Ou encore cette question : comment le Soviétique juge-t-il l'intervention soviétique en Afghanistan ? Dans ce cas aussi, vous pourrez prévoir la réponse : ce sera celle d'une personne conditionnée (politiquement mûre, comme on dit en Union Soviétique). Et là encore, tout un bouquet de traits apparaît : conscience standard, idéologisée ; sentiment de responsabilité à l'égard du pays conçu comme un tout ; docilité devant les sacrifices et propension à condamner les autres aux sacrifices. Bref, cette série de questions et de réponses caractéristiques vous donnera le portrait de l'homme qui est adéquat à la société soviétique et qui lui convient du point de vue de son unité et de ses intérêts d'ensemble.

4. L'engagement dans le système soviétique

On a entendu très souvent des Soviétiques évoquer telle ou telle de leurs connaissances pour les qualifier d'agents du KGB. Accusations qui sont d'ailleurs réciproques, et qui peuvent aussi bien avoir trait à des amis. Ici, en Occident, le même phénomène se reproduit dans les milieux soviétiques émigrés. Certes, c'est là une manifestation d'un trait caractéristique des Soviétiques : leur tendance à être des traîtres réels ou potentiels à l'égard de leurs proches, qui les amène à soupçonner dans leurs proches des êtres semblables à eux-mêmes. Mais il y a là aussi un élément qui ne dépend pas de la volonté ou des désirs individuels. C'est ce que j'appelle l'effet systématique. Il réside en ceci que le Soviétique a souvent affaire à des organisations complexes fonctionnant dans le cadre du système soviétique. Ces organisations ne suivent nullement les principes du droit ou de la morale, qui sont étrangers à la société soviétique. Ces organisations sont guidées par certains intérêts et considérations de haute politique pour utiliser n'importe quel individu et avec les méthodes les plus diverses. L'activité de ces organisations (KGB et Comité central du parti en premier lieu) est multiple. Que l'individu le veuille ou non, il est engagé dans ce système et utilisé par ces organisations de la façon qui leur convient. A cet égard, les traits individuels de chacun jouent sans doute un certain rôle, mais seulement aux yeux de ces organisations : c'est en tenant compte de ces particularités qu'elles définissent le rôle de cet individu, la façon dont elles

84

vont l'utiliser dans leur jeu. Si elles décident d'imposer ce rôle, l'individu ne peut y échapper. Certes, il existe des moyens pour l'éviter, par exemple, être ou devenir une nullité totale, être passif, disparaître purement et simplement. Encore le succès n'est-il pas assuré même dans ces cas-là, car là encore le système soviétique peut interpréter le comportement de ces hommes de la façon qui lui convient et faire en sorte que même les morts soient sous sa houlette.

En ce qui me concerne, je ne me fais aucune illusion : moi aussi, je fais partie des calculs des organisations que j'ai citées. Avant de m'expulser de l'URSS, on a assurément estimé là-bas que c'était la façon la plus rationnelle de défendre les intérêts de la société soviétique que ces organisations représentent et personnifient. Des milliers d'autres personnes sont l'objet de calculs analogues. C'est naturel. Ce qui compte plutôt, c'est savoir quelle attitude adopter personnellement face à ce phénomène. J'estime qu'on ne peut vivre en l'ayant présent à l'esprit. On ne peut vivre sans donner d'occasions aux autorités soviétiques de se servir de vous d'une façon ou d'une autre. J'ai mes propres principes de conduite et je m'y tiens, quoi qu'en pensent les autres et quelle que soit l'utilisation que les autorités soviétiques font de mes actes. Par exemple, lorsque j'affirme que la société soviétique est stable, qu'il est absurde d'espérer des conflits au sein de la direction, des conflits nationaux, une renaissance religieuse et d'autres phénomènes souhaités par certains, que le mouvement dissident n'est pas soutenu par la masse de la population, certains, ici en Occident, surtout parmi l'ancienne ou la nouvelle émigration russe, parlent de moi comme d'un agent du KGB (!), spécialement envoyé en Occident pour répandre le communisme. Qu'ils le disent ! Je préfère ce genre de rumeur plutôt que d'être un menteur ou un sot racontant des fables sur la faiblesse du régime soviétique et sur la renaissance d'une Russie inexistante, par la grâce d'une orthodoxie à moitié crevarde. La question de savoir qui aide les autorités soviétiques n'est d'ailleurs pas tranchée.

En un mot, l'essentiel, dans le problème : « Qui es-tu ? », du point de vue personnel, ce sont nos propres convictions morales, notre libre conscience, notre connaissance de nos actes, et non l'estimation du qu'en-dira-t-on. Par exemple, si le KGB laisse partir en Occident une personne qu'il espère voir causer du tort à une autre, également autorisée à partir pour d'autres raisons, il sera immoral de la traiter d'agent du KGB, sans avoir des preuves précises qu'elle l'est effectivement (formellement et subjectivement). Il arrive bien sûr (et assez souvent) que des hommes commettent des actes considérés communément comme un accord tacite avec le KGB. Mais un tel accord est l'affaire de la conscience de chacun. Ce n'est que partiellement qu'il tombe sous le coup du jugement moral personnel que j'ai évoqué. De tels accords sont un fait réel de la vie des Soviétiques, un élément habituel de leur adaptation sociale. Les organisations soviétiques s'en servent avec prédilection. Par exemple, un dissident désirant émigrer peut faire savoir au KGB (par des indicateurs qu'on identifie toujours d'une façon ou d'une autre, ou bien en l'annonçant publiquement) qu'il ne se livrera plus à des activités antisoviétiques. Cette démarche peut être sincère ou purement tactique, ce qui est encore une fois une affaire de conscience. Dans une certaine mesure, toute l'émigration soviétique (la « troisième vague ») est le fruit d'un accord tacite avec le pouvoir soviétique et un élément dans ses calculs. Inutile de se faire des illusions là-dessus.

5. *Ma position*

Je voudrais, sur ce sujet, m'exprimer avec toute la clarté et la franchise possibles. Nous prenons tous part à la lutte quelconque, dans notre existence même. Mais ce faisant, les hommes ne se partagent pas en deux camps, de telle sorte que les uns méritent des encouragements moraux et les autres, des condamnations. Les hommes luttent au sein de groupes innombrables, placés dans les relations les plus diverses. Une personne peut avoir une position moralement irréprochable, tandis que son groupe peut avoir une position condamnable dans une lutte plus complexe. En ce qui me concerne, j'ai commencé à me rebeller dès ma jeunesse. Ce qui ne signifie pas que j'eusse voulu renverser le régime soviétique. Cette idée ne me venait pas à l'esprit. Maintenant non plus, d'ailleurs. Non pas que j'aime ce système, mais parce que ce n'est pas mon affaire, je ne suis pas, subjectivement, impliqué dans une telle lutte. Ma révolte consiste à vouloir dire la vérité sur la société où je suis né et où j'ai grandi, sur ma société. Actuellement, mes objectifs se limitent là. Je suis sûr que même ceux qui y vivent et qui acceptent cette société et pas seulement ses ennemis, ont tout à gagner à connaître la vérité. Peut-être même davantage que ses ennemis. J'ai été scientifique pendant longtemps. Mon désir était très simple à comprendre : je voulais améliorer la situation de mon domaine scientifique, créer une école soviétique originale sur le plan international. De sorte que, par là même, j'aspirais à élever le prestige de la science soviétique, donc de la société soviétique elle-même. Je persiste à ne rien y voir d'immoral. En tant que Russe, j'aurais voulu une amélioration des conditions de vie du peuple russe, j'aurais voulu qu'il se batte plus activement pour une vie meilleure. Je critique la société et l'idéologie soviétiques, et même je me moque d'elles. Il ne s'ensuit nullement que je me pose pour but de les détruire. Pour moi, c'est mon milieu naturel et l'objet de mes réflexions. Quant à toutes ces épithètes du genre de « pro-soviétique », « antisoviétique », « pro-marxiste », « antimarxiste », etc., je les rejette, car dans mon cas, elles n'ont aucun sens. Si je me suis exprimé de façon si détaillée sur ce sujet, ce n'est pas seulement parce qu'il me concerne personnellement, c'est surtout parce que cette position est caractéristique de celle de milliers et même de millions de Soviétiques. Ceci est d'ailleurs un exemple de ma conception de l'homme soviétique, d'après lequel on voit bien que la conscience des Soviétiques est orientée d'une tout autre façon que celle des Occidentaux. C'est pourquoi il est assez difficile de se comprendre parfaitement.

On a eu ce qu'on a voulu

(Intervention à la réunion du CIEL à Paris,
en décembre 1978)

Actuellement, la majorité des personnes qui réfléchissent tant soit peu connaissent à peu près le tableau réel de la société soviétique. La terreur de masse de la période stalinienne est connue. On sait qu'en Union Soviétique, les libertés civiques font défaut. Je dis font défaut, et non pas sont violées. On sait que le niveau de vie de la majorité de la population est extrêmement bas, que l'écart entre celui des couches supérieures et celui des couches inférieures est immense, que l'arrivisme, la vénalité, le je-m'en-foutisme, le trompe-l'œil y fleurissent. On n'ignore pas que la population est fixée à ses lieux de résidence et de travail, que la vulgarité, l'étroitesse d'esprit et l'oppression pénètrent toutes les cellules, tous les tissus de la société. Tout ceci est bien décrit dans les livres « critiques » qui, actuellement, sont abondants et qui jouent un rôle très réel. Même des communistes occidentaux ne nient plus que la société qui s'est formée en Union Soviétique ressemble moins à un paradis terrestre qu'à un cauchemar permanent. Dès lors, nous voyons surgir une interrogation bien plus essentielle : d'où cela vient-il ? A-t-on mal interprété Marx et construit une

89

société qui ne correspond pas à son bel idéal ? Pourtant, il y eut des exégèses de Marx pendant plus d'un siècle, elles ont occupé des dizaines de milliers de personnes. Est-il possible que tous se soient trompés ? En Union Soviétique, des dizaines de milliers de spécialistes diplômés s'adonnent à ce type d'exégèse et, qui plus est, ils le font de façon novatrice, comme il se doit. Tout le monde se trompait-il donc ? Ou bien, au contraire, tout serait-il dû à une interprétation correcte de Marx, à une application fidèle de ses vœux ? Peut-être, si le résultat est si vilain, est-ce précisément parce qu'on a écouté Marx et aurait-il été meilleur si on ne l'avait pas écouté ? Ou bien est-ce un groupe de conspirateurs qui s'est emparé du pouvoir, qui a violé ce peuple si bon, si malheureux et qui lui a imposé un mode d'existence aussi aberrant ? Il existe bien des personnes pour croire que le peuple soviétique mettrait à bas son pouvoir, si on lui donnait la possibilité de le choisir librement. Ou peut-être, sont-ce des individus malintentionnés qui se sont infiltrés au gouvernement et qui ont déformé les beaux principes léninistes ?

Que le socialisme ou le communisme édifié en Union Soviétique soit authentique ou non, qu'il ait été édifié ou inachevé, que ce soit le communisme ou le socialisme, que ce socialisme soit marxiste ou léniniste, léniniste ou stalinien, tout ceci n'est qu'une controverse sur des mots. Personnellement, j'estime qu'on a édifié précisément ce qu'on voulait édifier. Tous les meilleurs espoirs des meilleurs esprits et cœurs du passé, se sont pleinement réalisés dans la vie. Comme on dit, on a eu ce qu'on a voulu. Dans l'ensemble, l'application fut correcte. Bien sûr, tout n'a pas été prévu. En partie, parce qu'on ne le pouvait pas, en partie parce qu'on ne le voulait pas, même si on avait quelques soupçons. Par exemple, pourquoi aurait-il fallu prévoir la terreur ? Si on l'avait fait, les masses populaires n'auraient peut-être pas réalisé leurs espoirs. En fait, les masses populaires auraient de toute façon fait ce qu'elles ont fait. Elles ne sont pas masses pour rien. Leurs espoirs valaient bien qu'on torde le cou à plusieurs dizaines de millions d'ennemis et (principalement) d'amis. Sans doute, y avait-il là une négligence de la part de la théorie. Je répète donc que l'on a édifié ce qu'on voulait édifier, en suivant le plan à la lettre, en plein accord avec les sages directives des dirigeants et les espoirs des masses. Mieux, rien d'autre n'aurait pu être édifié, car les grandes sociétés s'édifient selon des lois sociales particulières, dont, soit dit en passant, les fondateurs du marxisme et leurs successeurs ne soupçonnaient, ni ne soupçonnent même pas l'existence. En réalité, tout s'est édifié suivant le cours naturel de l'histoire, tandis que les dirigeants agissaient selon le principe traditionnel : « Vous voyez bien, qu'est-ce que je vous disais ? ». Du reste, rien d'autre ne pourrait être édifié. Et si l'on entreprend de construire quelque chose de semblable ici, en Occident, le résultat sera de toute façon soviétoïdal. Bien sûr, il y aura quelques différences de détail. On sait par exemple que le servage français était beaucoup plus doux que son homologue russe. Il est bien possible qu'il en soit de même du communisme, ne serait-ce que parce que la Sibérie, en France, fait défaut.

Lorsque les fondateurs du marxisme ont avancé l'idée de la société communiste et qu'ils ont promis d'édifier un paradis terrestre, ils n'imaginaient pas que la réalisation des plus nobles espoirs de l'humanité allait engendrer les pires horreurs, que chacun reconnaît à présent et dont on sait avec certitude qu'elles ne sont pas le fait du hasard. Nos vices sont un prolongement de nos vertus. Les vices qui sont apparus dans les sociétés communistes sont aussi naturels que leurs vertus. Prenons les purges sanglantes après la révolution et sous le stalinisme. Comment les expliquer ? A mon sens, il s'agit bien là d'un pouvoir populaire, tel qu'il fonctionne dans la réalité. Il s'agit bien d'une authentique liberté, poussée jusqu'à ses limites. La vie sociale est un phénomène très complexe. Des paradoxes de ce genre peuvent s'y rencontrer à chaque pas. Dans la société communiste, l'oppression la plus extrême de l'individu est précisément produite par un souci de la personne humaine. L'inégalité sociale n'est pas détruite, elle ne fait que changer de forme et elle est même plus brutale que dans les démocraties occidentales. L'inégalité sociale vient précisément d'une application des principes égalitaires, ce qui peut être démontré par une analyse concrète de cette société. Bref, si on veut comprendre ce qui se passe, si on veut savoir si c'est un effet du hasard ou non, si cela se répétera ou non, il faut partir de la réalité que nous vivons et non des vieux rêves des belles âmes, des promesses des démagogues, des programmes des partis ou des incantations des prophètes.

On m'objecte souvent : « Marx a dit que... », « Marx a promis que... ». Voyons, qui dois-je croire, Marx qui a vécu il y a un siècle et qui n'avait pas la moindre idée d'une société communiste réelle ou moi-même, qui n'ai pas connu autre chose que la société

communiste, qui y ai vécu 56 ans ? Que dois-je croire :
soixante ans d'expérience d'un pays communiste, de
plusieurs partis communistes, ou bien des programmes de partis qui, du reste, peuvent changer selon les
situations ? Car dès qu'il s'agit de pouvoir, ces partis
peuvent promettre tout ce que vous voulez. Ils peuvent renoncer non seulement à la dictature du proléta-
riat, mais même à la primauté de la matière. Il va de
soi que je préfère croire mes propres yeux, et que je
conseille à chacun d'en faire autant. Mais partir de la
réalité ne suffit pas, car cette réalité peut être envisagée de bien des manières. Par exemple, des étrangers
viennent en Union Soviétique, ils entrent dans une
église et ils y voient des jeunes qui prient, des couples
qui se marient, un enfant qu'on baptise, un intellectuel
barbu de trente ans qui se signe... N'est-ce pas là du
réel ? La conclusion paraît donc évidente : la Russie
est le théâtre d'une renaissance religieuse, le peuple
russe retourne dans le giron de l'église orthodoxe. Ou
encore : actuellement, en Union Soviétique, on ne
trouvera personne pour approuver le mode de vie
soviétique. Tout le monde critique. Et quelle critique !
De nombreux dirigeants du parti critiquent ce mode
de vie de façon bien plus virulente que les dissidents.
Cela aussi est bien réel et on en tire souvent la
conclusion qu'il est grand temps de renverser le
pouvoir soviétique. Puisque tout le monde le critique !
Ou bien cet exemple : en URSS, personne ne croit au
marxisme. Et en effet, bien rares sont ceux dont on
pourrait dire le contraire. Chacun a beau avoir cinq
sur cinq aux examens de matérialisme dialectique, on
répétera en privé que le marxisme est une pensée
primitive. Dès lors, puisque personne ne croit plus au

marxisme, c'est donc que l'idéologie s'est effondrée et que la société doit éclater. Or, cette société tient debout, elle se renforce d'année en année, elle s'épanouit (de son point de vue). Alors ? Alors, les faits, la réalité ne suffisent pas. Encore faut-il les comprendre. Or la compréhension des faits nécessite une certaine technique. Après tout, nous vivons à la fin du XXe siècle, ce siècle de la science. Il serait tout simplement stupide de ne pas utiliser les méthodes scientifiques pour comprendre la réalité. A notre époque, on ne peut se contenter de lancer des appels et des incantations. Il faut une étude sérieuse, scrupuleuse de la réalité. Sinon, on perd le fil. Sinon, on peut seulement avancer toutes sortes de programmes, qui dureront le temps d'une flambée, d'une sensation.

On dit que pour comprendre la société communiste, il faut savoir comment elle s'est formée historiquement, étudier sa genèse. Mais il existe un principe méthodologique élémentaire : si nous ignorons le phénomène qui est apparu, il est vain de chercher à savoir *comment* il est apparu. Si nous sommes incapables de définir ce qui est réellement apparu, toute approche historique sera dénuée de sens. De sorte que je formulerai cette affirmation hérétique à première vue : c'est justement l'approche historique d'une société du type soviétique qui rend sa compréhension impossible. Pourquoi ?... L'histoire avançait. Les hommes grimpaient sur des voitures blindées, prononçaient des discours, s'emparaient des dépôts d'armes, des stations téléphoniques, fusillaient, tiraient, galopaient le sabre à la main en criant « hourrah »... Mais tandis que l'histoire passait, quelque part dans la société, imperceptible, invisible, mûrissait ce que j'appelle la sociologie. Pour que Tchapaïev puisse galoper, il fallait un secrétariat dans sa division, et pour ce secrétariat il fallait installer des bureaux, les garnir de personnel. Il fallait rédiger des papiers, apposer des tampons... Et lorsque l'histoire dramatique s'enfuit au loin, lorsque la fumée se dissipa, on s'aperçut que ce qui restait de l'histoire, le résultat de tous ces événements, c'était le bureau. L'histoire disparut, laissant derrière elle le bureau, avec ses papiers, ses tampons, son ennui, ses titres, sa répartition des grades, sa routine, son trompe-l'œil et autres charmes du même type. Il faut, je le souligne, prendre la société telle qu'elle s'est formée et telle qu'elle existe sous nos yeux. Alors on comprendra pourquoi Tchapaïev galopait avec son sabre nu : ce n'était certes pas pour sauver l'humanité de ses misères, mais, entre autres choses, pour que des fonctionnaires de l'appareil (Comité central, KGB, Académie des Sciences, Union des Ecrivains, etc.) puissent prendre leurs voitures personnelles pour aller chercher des produits rares dans les magasins réservés, acquérir des appartements et des villas luxueuses, jouir des meilleures stations balnéaires et des progrès de la médecine...

On admet parfois que la société soviétique est encore sur le chemin de ses idéaux radieux, qu'elle ne les a pas encore atteints. Attendez qu'elle y arrive (il ne reste plus longtemps à attendre, puisque nous en sommes déjà au socialisme développé !), et alors, nous aurons tout ce dont nous rêvions et nous ne verrons plus tout ce dont nous ne rêvions pas. Point de vue qui est pour le moins naïf. La formation des civilisations (la « cristallisation » de la société) est régie par des lois qui n'obéissent pas même au Comité central et au KGB. Du point de vue du temps historique, les civilisations se forment d'une façon presque instantanée. Parfois il suffit de quelques dizaines d'années. En outre, la civilisation se forme immédiatement sous l'aspect qu'elle gardera par la suite durant des siècles. Bien sûr, il y aura de petits changements, des perfectionnements. Mais elle reste immuable dans son essence. En elle-même, elle ne contient pas d'éléments qui pourraient causer sa destruction. En Union Soviétique, la société communiste s'est déjà formée, elle a atteint sa maturité. Sa nature véritable est d'ores et déjà pleinement définie. Il est peu probable que l'avenir apporte quoi que ce soit de radicalement nouveau. On peut fort bien montrer que cette société a réalisé même le principe « à chacun selon ses besoins ». Sous une forme quelque peu paradoxale, il est vrai : « à chacun selon sa position sociale ». Mais il n'y a rien là que de normal, puisque les besoins « raisonnables » de chacun sont déterminés par sa position sociale.

Il existe donc une technique scientifique précise pour comprendre des phénomènes aussi complexes que des sociétés fortes de dizaines de millions de personnes. En particulier, pour comprendre une société de type soviétique, il faut commencer par étudier sa cellule la plus élémentaire. Cette cellule qui porte les traits essentiels de l'ensemble est une sorte de société en miniature. Prenez n'importe quel institut, usine, entreprise, sovkhoze, magasin, école, hôpital et vous y découvrirez tout ce qui détermine la société dans son ensemble : oppression de l'individu par la collectivité, répartition selon les principes de la position sociale, arrivisme, hypocrisie, double pensée, je-m'en-foutisme. Les organes répressifs du pays qui paraissent être situés au-dessus du « peuple » (qu'est-ce qu'on entend par là ?) et lui être étrangers, sont en réalité des organes d'oppression de l'individu par la collectivité, qui ne font que généraliser à l'échelle du pays la position réelle de l'individu dans la société. Si ces organisations spéciales n'existaient pas, chaque petite cellule du pays se doterait de ses propres groupes répressifs et de ses prisons. Je sais bien par expérience la puissance répressive que peuvent représenter tous les collègues, les camarades, les amis. Dans cette société, ce sont eux en vérité qui sont le pouvoir suprême. Je vous assure que si on avait confié mon cas à mes ex-collègues et amis, je me serais balancé depuis longtemps au bout d'une corde à Moscou, à la Volkhonka, numéro 14. Il y a là une cour commode, avec un parterre de fleurs au milieu. A l'époque libérale khrouchtchevienne, le parterre comportait une pousse de maïs rachitique, qui n'avait pas réussi à atteindre le stade lacto-cireux.

La société soviétique est un conglomérat de centaines de millions de personnes (de milliards, si l'on tient compte de l'ensemble des générations), qui accomplissent des milliards d'actes de toutes sortes. Imaginons, pour un instant, l'abstraction suivante. Admettons que la société a atteint une pleine abondance des produits de consommation : fourrures, bagues, diamants, saucisson cult, pommes de terre qui ne soient pas pourries, cognac, viande de mouton, poulets, jeans, collants, appartements... Mais la population est disséminée sur un grand territoire. Il faut donc mettre sur pied une répartition, une conservation, un stockage. Ce qui suppose un personnel et des organis-

97

mes spécialisés. Nous aurons donc encore une fois une organisation complexe, hiérarchisée. Que ce soit chez les Français, les Russes, les Chinois ou les Cambodgiens. Et cette organisation se soumettra aux lois générales de la société. Il n'existe pas d'autres lois. Ceci me rappelle une histoire assez curieuse. Un jour, à Moscou, des intellectuels discutaient de tous ces thèmes et ils formulèrent le problème sous une forme quelque peu rhétorique : « Puisque tu es si malin, dit l'un d'eux à son interlocuteur, imagine qu'on te mette à la tête du gouvernement et qu'on te donne tous les pouvoirs. Que ferais-tu pour que tout cela ne se reproduise plus, pour que les choses aillent aussi bien que tu le désires ? » Et l'autre répondit : « Mon premier décret sera de te donner tous les pouvoirs. » Je dois dire que je comprends fort bien cet homme.

Bref, la société qui existe en Union Soviétique s'est formée d'une façon purement naturelle, en pleine conformité avec les lois de la société. Elle n'est pas le produit de souffrances subies ou une invention d'individus méchants et stupides. S'il en était ainsi, s'il s'agissait d'une contrainte exercée par une poignée de personnes, d'une pure tromperie, la situation serait excellente. Hélas, il n'en est rien. Lorsque je dis que c'est un état naturel, cela ne signifie pas que je le trouve bon. Personnellement, il me déplaît. Mais il est naturel au même titre que l'eau est un milieu naturel pour les poissons, ou le désert pour les serpents. Il s'agit d'un désert social. Mais chaque année, de génération en génération, il se produit une sélection des individus qui peuvent vivre dans ce milieu social. Autrement dit, l'homme s'adapte au milieu, puis il le reproduit à son tour, ce qui aboutit à un cercle vicieux.

Bien sûr, les oiseaux pourraient toujours dire aux poissons : « L'air est si beau, venez voler avec nous ! » Mais les poissons ne peuvent voler, ils nagent...

Que nous reste-t-il donc dans cette situation qui paraît sans issue ? Si j'ai formulé ma position d'une façon aussi tranchante, ce n'est pas pour faire peur ni pour prétendre que la résistance est impossible. Au contraire, j'estime que j'exprime en quelque sorte un point de vue viril, celui qui pousse les hommes à dire : « Mes enfants, nous ne pouvons reculer, nous sommes encerclés, combattons jusqu'au dernier ! » Et d'ailleurs, lorsqu'il s'agit de progrès de la société, il est absolument insensé de compter sur des partis, des chefs, des prophètes, des bonnes intentions. L'homme doit compter seulement sur lui-même, sur sa capacité de résister. Pour qu'on observe même petite évolution de la société dont je parle, il faut des années, des décennies, des victimes, des combats. Sans quoi rien ne sera possible. Et par bonheur, cette société produit naturellement des mécontents et des personnes capables de résister. Cette lutte a déjà commencé. Actuellement, elle a pris la forme du mouvement dissident. A mon sens, c'est là le phénomène le plus important dans la vie sociale soviétique depuis la révolution. Un phénomène autrement plus important et plus sérieux que les vols cosmiques ou les bombes atomiques. Et à plus forte raison plus important que la parution du nouvel ouvrage du siècle de Brejnev, relatant ses combats pour la conquête des terres vierges.

Paris, décembre 1978.

Pourquoi sommes-nous
des esclaves ?

« Pays d'esclaves », disait Lermontov à propos de la Russie. « Des esclaves, tous des esclaves, de haut jusqu'en bas », disait Tchernychevski à propos du peuple russe [1]. Quelque chose a-t-il changé en Russie depuis cette époque ? Certes, oui : un nouvel esclavage a pris la relève de l'ancien. Nous restons des esclaves tout comme avant. En quoi réside notre condition d'esclaves et notre psychologie d'esclaves ? Pourquoi persistons-nous à rester des esclaves ? A la première question, la réponse est évidente : nous sommes fixés à notre lieu de travail et de résidence, nous sommes limités dans tous les aspects essentiels de notre existence et dans nos besoins, nous nous exposons à des poursuites pour nos moindres tentatives d'accéder à la liberté et à l'indépendance non seulement de conduite, mais même de pensée. Quant à la seconde question, il est beaucoup plus difficile de lui donner une réponse honnête et véridique, en raison même de l'obstacle que

1. Lermontov : poète russe des années 1830. Tchernychevski : révolutionnaire russe des années 1860 (*N. d. T.*)

101

constituent les facteurs psychologiques faisant de nous des esclaves.

On connaît deux réponses à cette seconde question, une d'ordre apologétique et une d'orientation critique. La première se résume ainsi : indubitablement, dans la société communiste, elle aussi, les hommes sont limités dans une certaine mesure, dans leurs pensées et leur conduite. Mais ces limitations sont raisonnables, elles se fondent sur les intérêts de la société dans son ensemble et des collectivités qui la composent. Faute de quoi, la société connaîtrait le chaos, l'arbitraire, la dégradation, la décomposition. La seconde réponse (« critique ») peut se résumer ainsi : une certaine partie des citoyens s'est emparée du pouvoir aux dépens des autres et exerce son oppression sur eux. Les deux réponses sont justes. Mais chacune d'elles ne reflète qu'une partie de la réalité ; ne la donne pas davantage, car elles laissent dans l'ombre un aspect, peut-être l'aspect principal, de la vérité : nous acceptons ce système d'esclavage de notre plein gré.

C'est pourquoi le problème : « Pourquoi sommes-nous des esclaves ? » revient fondamentalement au problème : « Pourquoi préférons-nous être des esclaves ? » Chaque époque résout ce problème à sa manière. Dans notre esclavage communiste moderne, la réponse est banale, dans ses grands traits : le communisme n'est pas plus une fatalité, une oppression et une tromperie, qu'une tentation. Il est une tentation non seulement dans sa forme doctrinale, dans sa propagande et ses slogans, mais aussi sous son aspect réel, incarné. A l'heure actuelle, c'est même cette incarnation réelle (la société communiste) qui constitue avant tout une tentation. Tout le mal est là ! Lorsque

102

les apologistes du communisme proclament qu'il est un mouvement, une aspiration qui soulève des millions de personnes, dans l'intérêt de millions de personnes, ils disent vrai. Mais ils ne disent pas toute la vérité : ils taisent le fait que la base, le moteur de ce mouvement et de cette aspiration, c'est précisément la tentation. Dans son fondement, le communisme apporte avant tout un soulagement, une libération. Dans un second temps, il amène, sur cette base, une aggravation des conditions d'existence et un asservissement. Seulement la libération et l'asservissement qu'il entraîne sont d'une espèce différente et ils touchent des catégories de gens différentes. Qui plus est, il les entraîne de telle sorte que les gens voient tout de suite la libération, qui leur paraît absolue, mais c'est seulement ensuite qu'ils ressentent l'asservissement et déjà, il leur paraît naturel, comme allant de soi.

La société dans laquelle nous vivons ne nous a pas été donnée d'emblée. Elle est le fruit d'une évolution historique qui fut toujours le théâtre d'une lutte entre deux tendances : la tendance civilisatrice et la tendance communiste (ou communautaire). La première signifie qu'une petite partie de l'humanité s'efforce de se hisser vers le haut, c'est un mouvement contre le torrent spontané, élémentaire, de l'humanité, c'est une victoire sur l'environnement social et naturel. La seconde tendance, c'est la chute de l'écrasante majorité, c'est un abandon au gré du courant élémentaire de l'humanité, une ligne de la moindre résistance. La première tendance est une résistance à la seconde, une limitation des forces élémentaires de la seconde, un effort pour élever le niveau de l'organisation sociale

103

humaine. Ses fondements, ce sont le travail, le risque individuel, l'initiative individuelle, la responsabilité de ses actes, l'auto-limitation dictée par une conscience morale et juridique et d'autres valeurs de la civilisation. La structure sociale qui s'est développée sur la base de cette tendance et qui, en même temps, l'a préservée, a donné naissance aux bienfaits de la civilisation moderne et à ses tares qui les accompagnent indissolublement. Pourtant, les hommes ont non seulement imputé à cette société les défauts qui lui appartiennent en propre, mais aussi tout le mal qui accompagne de tout temps la tendance communiste, ce mal contre lequel était avant tout dirigé le système social né de la tendance civilisatrice. Les hommes ont fini par se persuader, dans leur cœur et leur raison, que la cause de tous les maux de l'humanité était précisément cette société qui avait vu naître les bienfaits de la civilisation, comme si l'anéantissement de cette société ferait disparaître tous les aspects négatifs de la vie sociale contemporaine. C'est dans cette action destructrice, et non constructive, que les hommes ont cru voir la voie du bonheur futur.

Mais voici que la tendance communiste a triomphé sur une part importante du globe terrestre. Les illusions concernant un paradis terrestre généralisé se sont effondrées. On a découvert des tares du mode de vie communiste qui n'ont rien à envier à celles du passé et qui même les surpassent à certains égards. Eh bien, loin de décroître, l'attirance mondiale pour le communisme n'a fait que se multiplier. Pourquoi ? Simplement, parce que le communisme réel n'a certes pas amené une abondance universelle, pas plus qu'il n'a mis fin aux tares de la société, mais il a, dans une certaine mesure, satisfait la grande tentation historique de l'homme à vivre en troupeau, sans travail trop ardu, sans autolimitations permanentes, sans risque et sans responsabilité individuels pour ses actes, sans soucis, le plus simplement possible, avec un minimum de besoins élémentaires garantis. Le communisme a fort peu répondu à cette tentation. Mais ce fut malgré tout suffisant pour que l'initiative et le pouvoir soient tombés aux mains d'individus qui préféraient ce mode de vie, pour que les hommes s'y adaptent avec une dextérité stupéfiante, pour qu'ils se résignent à ses défauts et prennent conscience de ses avantages. Les hommes ont capitulé devant leurs propres forces élémentaires, ils se sont débarrassés de la tension à laquelle les contraignait le système social ancien, ils ont soufflé avec soulagement. Le refus de la lutte, le refus de grimper vers les sommets, le refus d'aller à contre-courant apportent avant tout un soulagement : la chute, dans les premiers temps, est ressentie comme un envol. Les gens ne songent pas alors à ce qui suivra : ils ne savent pas que le soulagement sera suivi de tous les attributs indispensables de l'esclavage, comme les maîtres, les gardes-chiourme, les bourreaux. Lorsque les hommes s'en aperçoivent, il est déjà trop tard. Ils sont déjà tombés au pouvoir d'eux-mêmes, car déjà, ils portent ces attributs de l'esclavage. Notre esclavage est le prix que nous payons bénévolement pour un soulagement infime et provisoire, après les peines de la tendance civilisatrice.

L'esclavage moderne a aussi ceci d'intéressant qu'il élargit à un degré incomparable (au regard de la société ancienne) le nombre d'individus qui sont dotés d'un pouvoir officiel sur leurs semblables, de sorte que presque tous les membres de cette société ont une parcelle de pouvoir sur les autres. Dans cette société, la masse du pouvoir atteint des dimensions jamais vues et elle se répartit dans la société de même que tous les autres biens : selon la position sociale de chacun. Il n'empêche : il y a bien une répartition. C'est un esclavage d'un genre particulier, où la condition d'esclave est compensée par la possibilité qu'a chacun de voir en autrui des subordonnés qui lui sont soumis : ici la liberté est remplacée par une possibilité d'asservir les autres, par une participation à l'asservissement général. Non pas une volonté de liberté, mais la volonté de priver les autres de toute velléité de liberté, tel est l'ersatz de liberté qu'on propose aux citoyens de cette société. Or c'est beaucoup plus facile qu'une lutte visant à sortir de la condition d'esclave. Tout le monde peut constater tout de suite les résultats de l'ersatz de liberté, tandis qu'il faut beaucoup de générations pour qu'on prenne conscience (encore ne s'agit-il que d'un petit nombre) des résultats d'une lutte pour la vraie liberté.

En un mot, la condition d'esclave nous arrange. Il est beaucoup plus facile et plus simple d'être esclave que de ne pas l'être. C'est nous-mêmes qui réalisons l'oppression d'autrui. C'est nous-mêmes qui, d'un commun effort, nous transformons en esclaves de nous-mêmes, grâce à quoi nous devenons des esclaves d'autrui. Ce sont là, et non dans une violence extérieure ou une organisation particulière de la société, que résident les racines profondes de notre esclavage. Nous capitulons devant les lois objectives et l'oppression extérieure parce que nous-mêmes, nous préférons ce mode de vie qui fait de nous des esclaves. Telle est toute l'horreur de notre situation. On peut lutter contre des oppresseurs extérieurs. On peut limiter l'action des lois naturelles et sociales objectives. Mais lutter contre soi-même avec succès, c'est une tâche qui est d'une difficulté inconcevable, même pour des dieux. Or nous ne sommes que des hommes.

Tout ceci ne serait encore qu'un moindre mal : nous avons l'habitude d'être des esclaves. Le malheur, c'est que nous apportons l'esclavage aux autres. Nous le faisons sous le drapeau de la liberté. Nous le faisons avec succès et nous ruinons, par là même, tout espoir de nous libérer. Lorsque tout le monde est esclave, la notion d'esclavage perd son sens.

Munich, mai 1980.

A propos du peuple russe

Les milieux de l'ancienne émigration russe et de la nouvelle émigration soviétique cultivent et diffusent une opinion qui fait de moi un russophobe. Je l'avoue, je n'éprouve pas d'amour pour le peuple russe. Mais pas de haine non plus. Mon attitude à son égard est d'un autre ordre : j'appartiens à ce peuple et je partage son sort. J'en fais partie. Son destin me préoccupe. C'est pourquoi je suis impitoyable lorsque j'en parle : je ne veux pas me bercer d'illusions, pas plus que je ne veux tromper mes compatriotes. Seuls, ceux qui se sont coupés de leur peuple ou qui le connaissent seulement de seconde ou de troisième main peuvent se permettre ces états d'âme hypocrites qu'on intitule « amour du peuple », de ce peuple auquel, de fait, ils n'appartiennent plus. Je suis né, j'ai grandi au plus profond du peuple russe. J'ai vécu en lui la quasi-totalité de ma longue existence. Avec lui, en lui, j'ai souffert de la faim et du froid, j'ai travaillé, combattu. J'ai été kolkhozien, étudiant, officier, terrassier, instituteur, manutentionnaire, laborantin, chercheur, professeur. Je connais ce peuple et je le porte en moi. Je lui ai donné toutes mes forces et mes capacités, sans presque rien exiger en échange. Et si mes livres étaient librement diffusés en Russie, le peuple russe ne douterait pas un instant que je sois un homme profondément russe, par chaque cellule de mon corps ou de mon âme. Par contre, je doute fort que le peuple russe se reconnaisse dans ceux qui répandent des calomnies sur moi en me faisant passer pour un russophobe.

Pour moi, le peuple russe n'est pas une abstraction romantique et creuse, mais une dure réalité. Le peuple russe actuel, ce ne sont pas seulement des vieilles femmes sachant à peine lire et écrire, vivant leurs dernières années et gardant la flamme de la religion orthodoxe qui, soit dit en passant, à peu de chose à voir, dans sa réalité massive, avec la légende qui s'est forgée sur son compte en Occident. Ce ne sont pas seulement des membres de sectes que les hasards de l'histoire ont érigés en combattant pour les droits de l'homme. Ce ne sont pas seulement des intellectuels ratés cherchant éperdument une compensation du côté de la mode du yoga ou de la philosophie religieuse russe, parfaitement inconnues de la grande masse de la population. Ce ne sont pas seulement certains dissidents et révoltés. Le peuple russe, c'est aussi l'immense armée des fonctionnaires de l'Etat et du Parti, ce sont aussi les généraux, les officiers, les professeurs, les docteurs, les collaborateurs de la sécurité de l'Etat, les diplomates, les juges, les gardiens, les employés à l'idéologie, les miliciens, les sportifs, les acteurs, les ingénieurs, les employés de bureau... Ce sont eux qui forment les assises et le squelette du peuple russe actuel. Ce sont eux qui, de nos jours, déterminent le visage, le caractère, l'âme de ce peuple. Le peuple russe actuel est avant tout un peuple soviétique, le noyau et le fondement du soviétisme, son expression la plus exacte. Si actuellement, un écrivain veut donner une image véridique du mode de vie du peuple russe, il doit le décrire avant tout comme un mode de vie soviétique.

L'expression « homme soviétique » est ambiguë. Elle désigne celui qui adopte le mode de vie soviétique, l'approuve et se comporte selon ses normes. Mais elle désigne également celui qui est le produit de la société soviétique. Dans ce second cas, j'emploierais volontiers le terme de « peau-soviétique », comme s'il s'agissait d'une nouvelle race humaine. Le « peau-soviétique » n'est pas nécessairement satisfait du mode de vie soviétique ni ne répond à ses normes. Il peut avoir une attitude négative à l'égard de ce mode de vie, il peut le critiquer et même le combattre. C'est le cas, par exemple, des dissidents et émigrés soviétiques. Même en Occident, ils continuent à être des « peaux-soviétiques ». Le peuple russe actuel est composé de « peaux-soviétiques » et, dans sa grande masse, il est également « soviétique » au premier sens du terme.

Les Occidentaux emploient souvent le terme de « russe » comme un synonyme de « soviétique ». Certains émigrés de nationalité russe y trouvent matière à s'indigner. Mais y a-t-il des raisons réellement sérieuses pour distinguer le sens de ces deux termes ? Les particularités de la population russe sont-elles suffisamment importantes, au regard des autres et du mode de vie soviétique, pour qu'il y ait vraiment lieu de s'indigner ? Afin de répondre à cette question, il faudrait réaliser une étude sociologique sérieuse et éclaircir au moins les problèmes suivants : 1) quelle est la proportion de Russes dans l'appareil de l'Etat et du Parti soviétiques, dans les organes de la sécurité d'Etat, le commandement de l'armée et autres sphères clés ; 2) quelle est la répartition de la population russe sur le territoire du pays et la part qu'elle prend dans l'existence des autres peuples, quel est son rôle dans la victoire et la conservation de l'ordre social existant dans l'histoire de ces peuples. Je vous assure que si vous vous livrez honnêtement à cette étude, vous découvrirez que le rôle réel de la population russe dans la création, la diffusion, la conservation de la structure sociale actuelle sur le territoire de l'ex-empire russe excède de plusieurs fois le rôle qu'y ont joué les Juifs et les autres nationalités, rôle qui se remarque davantage extérieurement et qui est fortement exagéré. De sorte que la confusion des termes « soviétique » et « russe » ne fait qu'exprimer une vérité historique.

En Union Soviétique, on assiste actuellement à un processus qui fournit quelque aliment à une opposition entre « russe » et « soviétique ». Je veux parler de cette sorte d'anticolonisation, c'est-à-dire d'une pénétration de représentants de diverses nationalités de l'Union Soviétique sur le territoire peuplé essentiellement par des Russes et leurs efforts pour y gagner une situation relativement privilégiée. Cette pénétration massive de non-Russes dans les grandes villes russes est à l'origine de la croissance rapide d'une nouvelle entité non nationale, composée d'hommes soviétiques. Outre le rôle que les grandes villes russes jouent dans la vie du pays, ce qui a joué également ici, c'est la tragique destinée de la Russie : la révolution, la guerre civile et les expériences communistes qui les ont suivies ont porté un coup mortel à la nation russe. Actuellement, la population russe ne forme plus une nation et c'est sous la forme d'une multitude d'individus et de groupes atomisés qu'elle se fonde dans cette nouvelle entité que sont les hommes soviétiques et prend part à une lutte acharnée pour atteindre les meilleures positions sociales. En dépit de conditions historiques défavorables, le peuple russe mène cette bataille avec succès, ce qui s'explique naturellement par sa masse qui reste encore très importante. Cette bataille, il la mène entièrement dans le cadre du mode de vie communiste, en se conformant à ses règles et non pas du tout sous le drapeau de l'unité nationale. Dans cette lutte, même le nationalisme n'est plus que le tremplin d'un combat purement social, donc anational. En même temps, les intérêts du peuple russe, loin de se distinguer de ses intérêts en tant que peuple soviétique, se confondent si étroitement avec eux qu'il devient impossible de les partager.

Le peuple russe a-t-il gardé quelque chose de spécifiquement national ? Certes oui. C'est par exemple sa capacité séculaire à s'humilier et à humilier autrui, sa docilité vis-à-vis du pouvoir, sa tendance à suivre les opinions d'autrui, sa faculté de complaire aux supérieurs et d'exiger la même chose d'autrui, la facilité avec laquelle il passe d'un état sentimental et larmoyant à celui de la cruauté et de la fureur, sa tendance à tirer au flanc et sa paresse, son affabilité qui tend à devenir une contrainte oppressive assortie de la bonne conscience propre aux bienfaiteurs, sa propension à la vulgarité... Faut-il continuer ? Cette fameuse « âme russe », si « mystérieuse » et si pleine de « largesse », qui fut déjà assez bien décrite dans la littérature russe prérévolutionnaire, s'est avérée extraordinairement commode pour l'expérience communiste. C'est là une des raisons pour lesquelles le communisme a rompu la ligne de défense de la civilisation d'abord en Russie, et non ailleurs. Pour cette même raison, nombreux sont ceux qui prennent le communisme pour un phénomène national russe. Mais il n'est ni plus ni moins russe que, par exemple, le capitalisme n'est un phénomène national anglais. Le communisme a adopté et confronté certains traits nationaux du peuple russe qu'il a ensuite érigés en traits soviétiques, contribuant ainsi à les répandre dans d'autres peuples. Du reste, ces traits attirent les masses populaires, toujours et partout, indépendamment même de la formation d'états communistes, car ces traits sont des conditions nécessaires à l'existence des hommes au sein de vastes collectivités : ils sont universels.

C'est pour les raisons que je viens d'exposer que des observateurs extérieurs, ignorant la vie réelle du peuple russe, croient qu'une attitude critique envers le mode de vie soviétique et, plus généralement, envers les règles de vie des grandes collectivités, serait faite de haine à l'égard du peuple russe.

Actuellement, la situation réelle du peuple russe est telle que toutes les idées sur une distinction entre le « russe » et le « soviétique », la libération du peuple russe qui se débarrasserait de son soviétisme, son développement en tant que phénomène purement national, toutes ces idées sont pratiquement irréalisables et théoriquement ineptes. J'étais sur le point de les traiter de « réactionnaires », mais j'ai préféré l'adjectif « ineptes », car il qualifie mieux leur valeur intellectuelle. Actuellement, le peuple russe affronte une tâche parfaitement réalisable et compréhensible à tous : celle de prendre dans l'Empire soviétique la place qui convient à un grand peuple. Concrètement cela signifie une lutte concurrentielle contre les représentants des autres nationalités, dont l'enjeu est d'obtenir les meilleures situations sociales, un meilleur niveau de vie, un apport culturel plus important. En outre, le peuple russe affronte la tâche de gagner la place qui lui convient dans la culture mondiale. Cette tâche découle de la première, car seule, une meilleure position au sein du pays permettrait au peuple russe de jouer un rôle plus sensible dans la culture mondiale. Si des idées nationalistes de toutes sortes peuvent avoir du succès auprès du peuple russe, c'est seulement pour autant qu'elles peuvent aider des individus et des groupes dans leur lutte pour la vie. En particulier, l'antisémitisme, qui est devenu si fort au sein de la population russe, exprime le fait bien réel d'une lutte entre Russes et Juifs pour les professions les plus lucratives, les meilleures conditions de travail, les postes les plus élevés, la gloire, les honneurs, etc., et nullement le réveil d'un élément nationaliste idéaliste quelconque. L'ancienne émigration russe, la nouvelle émigration soviétique avancent souvent toutes sortes de programmes destinés à libérer le peuple russe des horreurs soviétiques, à le rendre heureux. Que dire, par exemple, de cette idée merveilleuse et progressiste d'une renaissance de la Russie sur la base de la religion orthodoxe et même de la monarchie ! Il est vrai qu'il s'agit d'une monarchie libérale et constitutionnelle, peut-être même éligible, et qui correspond donc aux idées de la fin du vingtième siècle. Que voilà une perspective enthousiasmante ! Un tzar, une tzarine, une impératrice douairière, des dames d'honneur, des aides de camp du palais, des gendarmes, des sergents de ville, un patriarche, des sacristains, des marguilliers, baillis et autres personnages de la Russie régénérée seraient élus à l'image des députés de soviets, des juges populaires et des jurés, des délégués aux conférences du parti. A côté de cette idée, à sa dextre pourrait-on dire, fleurit l'idée toute fraîche d'une renaissance de cette même Sainte-mère Russie sur la base de la communauté rurale que tout le monde a oubliée depuis longtemps. Il est vrai qu'on se heurte ici à quelques difficultés : où prendra-t-on des moujiks analphabètes pour cette communauté, ainsi que des fourches, des faux, des tamis et autres outils indispensables à la vie communautaire ? Et surtout, où prendra-t-on des chaussons de tille, attributs tratidionnels et nécessaires de la paysannerie russe ? ! Plus modeste, plus en retrait aussi, ces idées sont accompagnées d'un autre projet, non moins original : c'est très bien qu'on ait construit le socialisme en Russie ; seulement sa version ne serait pas correcte, ce qui est mal. Ce qui n'est pas clair, c'est d'où vient l'erreur exactement : de Marx ou de son fidèle élève Lénine, de ce Judas de Trotski ou du bourreau Staline, des tirailleurs lettons et des Juifs ou bien du peuple russe qui a tant souffert ? On ignore également qui construira le socialisme correct et sous quelle direction il le fera. Mais ce sont là des détails que les futurs réformateurs de la Russie régleront, en quelque sorte, « au cours du travail ».

De tels plans de réforme n'ont pu naître que dans les cerveaux de personnes refusant de considérer des faits évidents et en particulier d'admettre que la Russie actuelle est un pays pourvu d'une économie et d'une culture complexes et dont la population est hautement instruite. Ceux qui y jouent un rôle décisif, ce sont les personnes qui sont nées après la révolution, qui se sont adaptées au milieu social actuel, qui prennent cette société pour quelque chose de naturel et non quelque chose qui leur aurait été imposé du dehors, par erreur ou par tromperie, qui sont seulement capables de lutter pour une amélioration des conditions de leur existence au sein même de cette société. De tels plans ont pour but de récrire l'histoire passée, ce qui est fondamentalement impossible, et de la récrire selon des modèles analogues à ceux qui guidaient Lénine et les bolcheviks avant la révolution. Certes, ces réformateurs suivent des modèles imaginaires, inventés, et non réels. Mais hélas, la Russie a laissé échapper irrémédiablement, il y a bien des décennies, les chances qu'elle avait de suivre une autre voie. Désormais, il n'est plus possible de se livrer à des pitreries et de se gonfler d'importance sur la scène de l'histoire, en prétendant agir au nom du peuple russe. Il faudrait tout de même consentir à regarder la vérité en face, à laisser là ses ambitions maniaques et songer à des sujets plus prosaïques.

Dans ces conditions, que pourrais-je conseiller à mes compatriotes ? Seulement ceci : ils doivent lutter pour de meilleures conditions d'existence, par tous les moyens qui leur sont accessibles. Lutter individuellement ou collectivement. Protester contre toutes les manifestations négatives de leur mode de vie. Protester activement ou passivement, ensemble ou séparément. Agiter les eaux stagnantes du marais russe, rendre notre vie russe plus dynamique, plus colorée, plus variée. Prendre des risques. Se lancer dans toutes sortes d'entreprises. Concurrencer, toujours et partout, les autres nationalités. Cesser de se comporter en esclaves dociles. Se doter de toutes les vertus et tous les vices qui soient dignes d'un grand peuple. Cesser d'être une scène, sur laquelle d'autres jouent leurs spectacles, s'imposer sur la scène de l'histoire, produire des individus marquants. Quoi qu'il lui en coûte, tenter d'accéder aux bienfaits de la civilisation qui se sont accumulés dans le monde. S'efforcer de devenir un peuple européen au sens le plus strict. Je ne dirais pas au meilleur sens du terme, car les biens ne vont pas sans des maux tout aussi réels qu'eux. Cette voie fera surgir de nouveaux problèmes. Soit ! Le niveau, le type de problèmes qui se posent aux hommes caractérisent justement leur niveau et leur type de civilisation, ce qui n'est pas le cas de la prospérité satisfaite du petit-bourgeois. Autrement dit, tout vaut mieux qu'un retour en arrière, vers le passé. Plutôt les problèmes du futur que les solutions du passé !

Munich, mars 1980.

A propos des « modèles »
du communisme

Actuellement, c'est la mode d'évoquer des modèles du communisme en tant qu'organisation sociale, mode de vie. D'abord, le terme « modèle » est à la mode, car il démontre la familiarité de son utilisateur avec la science moderne. Ensuite, il est de bon ton de penser que d'autres formes de société communiste, différentes de l'Union Soviétique et des pays de son bloc, sont possibles, car cela dénote des vues progressistes. Certains discernent différents « modèles » du communisme même en Union Soviétique, en Roumanie, en Yougoslavie, oubliant ou ignorant que la situation n'y est pas meilleure qu'en U.R.S.S. Les eurocommunistes promettent d'édifier en Occident un « communisme à visage humain » ou un « communisme démocratique », c'est-à-dire un communisme qui conserverait les libertés démocratiques et un haut niveau de vie. Il s'en trouve même pour croire qu'en Union Soviétique, le communisme (ou socialisme) n'aurait pas été édifié « correctement ».

En réalité, différents « modèles » (c'est-à-dire types, formes) de la société communiste sont-ils possibles ? Cette question comporte un aspect purement termino-

119

logique et un problème de fond. Aspect terminologique : que doit-on considérer comme des formes différentes de communisme ? Par exemple, l'Union Soviétique est un immense pays, où le communisme peut présenter certaines différences, selon qu'on se trouve en Russie, en Géorgie, en Azerbaïdjan ou dans d'autres républiques. Parfois, ces différences sont plus importantes que celles qui distinguent l'U.R.S.S. de la Yougoslavie. Sur le territoire même de la Russie, on peut trouver des variations très sensibles. Les habitants de régions éloignées de Moscou considèrent les conditions de vie moscovites de la même façon que les Moscovites considèrent les conditions de vie occidentales. A Moscou, on peut trouver du saucisson ; en province, cela tient du domaine du rêve. A Moscou, on voit apparaître des dissidents sans que tous soient mis en prison. En province, c'est chose impensable : ils seraient écrasés dès le début et ne laisseraient aucune trace. Alors s'agit-il de « modèles » différents ou non ? Evidemment non. Lorsqu'on évoque des « modèles » différents, on a en vue des distinctions plus sérieuses qui touchent aux fondements mêmes de la structure sociale, comme, par exemple, l'autogestion ouvrière dans les entreprises, l'affaiblissement ou la suppression de la bureaucratie, les libertés civiques, un système pluraliste, une agriculture de type fermier, etc. Autrement dit, on prend l'Union Soviétique comme point de départ et on en retranche les traits négatifs. Négatifs, bien entendu, selon l'opinion de ceux qui inventent des « modèles » de communisme plus décents que l'Union Soviétique. Les organisateurs de la répression sanglante de la période stalinienne, de même que leurs partisans en Occident, ne prenaient pas du tout cette répression pour quelque chose de négatif. Des millions et des millions de personnes estiment que le système du parti unique est la meilleure organisation du pouvoir. Il n'y a pas de mal absolu pas plus que de bien absolu. L'écrasante majorité de l'espèce soviétique repousserait l'autogestion des entreprises, même si on le lui imposait par la force, et ce système dégénérerait en formalité creuse ou en gangstérisme.

Le problème de fond est le suivant : peut-il y avoir une société communiste avec des libertés démocratiques, un système pluraliste de partis, l'autogestion des entreprises, une faible bureaucratisation et d'autres traits que les tenants d'un « modèle » non soviétique estiment positifs ? Il existe des lois générales de la société, qui ne dépendent pas de la volonté ou du désir des hommes, ni, en particulier, des promesses de ceux qui veulent édifier un communisme « à visage humain ». Ces lois s'observent aussi bien en Union Soviétique qu'en Occident. Le « modèle » soviétique s'est formé conformément à ces lois, et non à la suite de noirs desseins des communistes soviétiques. Par exemple, dans une société moderne comprenant un grand nombre de personnes et un système économique développé, il est inévitable qu'il y ait une hiérarchie de la gestion des positions sociales, et un nombre de personnes indispensables occupées dans le système de direction. Dans une société où les rapports de propriété et les classes de propriétaires indépendants ont été abolis, un système de partis multiples, quel qu'en soit le nombre, finira de toute manière par être remplacé par un parti unique (par la victoire de l'un d'eux ou par la fusion de tous en un seul), car dans cette société, les partis perdent tout caractère politique, devenant l'axe et le noyau de l'appareil d'Etat. Bref, pour des raisons indépendantes de la volonté et des désirs des hommes, le communisme « à visage humain » que promettent les eurocommunistes et les critiques du « modèle » soviétique n'est pas plus possible qu'un capitalisme sans argent ni profit. Certes, des variantes sont possibles. Mais elles ne sont pas essentielles du point du vue sociologique. Par exemple, il se peut qu'il y ait une société communiste où les défenseurs des droits de l'homme ne soient pas persécutés. A condition, bien sûr, que ces défenseurs fassent eux-mêmes défaut. Sous Staline, par exemple, il n'y en avait pas.

Munich, 20 avril 1980.

Le statut social
du marxisme

(Exposé à l'Université Alcala, en Espagne)

Le problème du statut social du marxisme est devenu particulièrement brûlant depuis que les plaies les plus repoussantes de la société communiste (qui se construit soi-disant sur un projet marxiste) sont devenues évidentes. Pour voir clair dans ce problème, il faut opérer au préalable au moins les distinctions suivantes : 1) entre la science, la religion et l'idéologie ; 2) entre les prétentions du marxisme et son action réelle ; entre sa forme, susceptible d'adaptations, et son essence masquée ; 3) entre d'une part le rôle que joue le marxisme lorsqu'une catégorie de personnes cherche à résoudre les problèmes d'une société bourgeoise ou d'une autre société non socialiste (non communiste) et qu'elle vise le pouvoir dans l'intention de résoudre ces problèmes (au moins dans ses intérêts), et d'autre part le marxisme placé dans les conditions d'une société où il est déjà devenu l'idéologie dominante de l'Etat, où des individus se sont emparés du pouvoir et ont entrepris d'édifier une société nouvelle, socialiste (ou communiste). En outre, il faut distinguer le noyau stable (l'essence) du marxisme et ses variations en fonction du lieu et de l'époque.

Je précise d'emblée que j'entends par société communiste une société du type de celle qui s'est formée en Union Soviétique et qui constitue un modèle classique pour tous les autres pays empruntant la même voie (avec quelques différences peu significatives, déterminées par les particularités historiques de chacun, et nullement par une quelconque refonte du projet marxiste). Cependant, si l'emploi de cette expression soulève des objections, je n'en ferai pas une question de principe, car il s'agit ici d'un phénomène plus concret qui est le marxisme.

La science, la religion et l'idéologie n'existent pas isolément ni à l'état pur, c'est-à-dire sans une certaine interpénétration et une influence réciproque. Les doctrines religieuses prétendent offrir une image du monde et expliquer les différents phénomènes de la nature et de la société, les institutions religieuses remplissent des fonctions idéologiques, la science contient de nombreux éléments d'idéologie, elle alimente cette dernière qui s'en sert, etc. Il n'en reste pas moins vrai qu'à notre époque, on peut nettement discerner la différence entre les trois. Des idéologies antireligieuses ont vu le jour, la science a connu un développement extraordinaire, s'emparant des fonctions cognitives qui étaient jusqu'alors dévolues à la religion et à l'idéologie, de nombreuses doctrines religieuses ont perdu leur rôle idéologique et ont été refoulées à l'arrière-plan de l'histoire. Désormais il est devenu possible d'établir assez précisément les fonctions respectives de chacun des trois phénomènes au sein de la vie sociale.

La science a pour tâche de fournir des connaissances à la société, d'élaborer des méthodes d'acquisition et d'exploitation des connaissances. Les concepts utilisés par la science tendent vers la clarté, la précision, l'univoque. Les propositions que formule la science sont, dans leur principe et leur tendance, vérifiables, à savoir qu'elles peuvent être confirmées, démontrées, réfutées. De son côté, la religion a pour domaine la vie spirituelle, les sentiments religieux des hommes, la foi. A la différence de la science, l'idéologie se construit à partir de formulations imprécises, équivoques, qui supposent une certaine interprétation préétablie. Les propositions idéologiques ne peuvent être démontrées ou confirmées sur le plan expérimental, elles ne peuvent non plus être réfutées, car elles sont dépourvues de signification. A la différence de la religion, l'idéologie n'exige pas une foi en ses postulats, mais leur reconnaissance formelle ou leur adoption. Sans la foi, la religion serait impossible. Au contraire, l'idéologie peut s'épanouir dans une absence complète de foi en ses slogans et ses programmes. Cette distinction est essentielle. En effet, il arrive souvent qu'on s'étonne de la situation soviétique, où nous avons une idéologie officielle florissante, à laquelle pourtant personne ne croit plus. Le paradoxe s'explique si l'on admet qu'on ne croit pas en une idéologie, mais qu'on l'adopte. La foi est un état de l'âme, du psychisme humain. L'adoption, par contre, (la reconnaissance) n'est qu'une forme de comportement social. Lorsqu'on croit en une idéologie, il se produit une interférence historique, où l'idéologie s'approprie des fonctions de la religion qui ne lui sont pas propres. D'un autre côté, lorsqu'on tente de démontrer ou réfuter des principes idéologiques par des arguments tirés de la raison, on confond science et idéologie. L'idéologie n'a pas pour tâche de découvrir de nouvelles vérités sur la nature, l'homme ou la société, mais celle d'organiser la conscience sociale, de diriger les hommes en ramenant leur conscience à un modèle social établi. L'idéologie peut naître avec une prétention scientifique. Mais une fois formée, elle perd toutes les caractéristiques essentielles de la science. L'idéologie peut emprunter à la science certains de ses concepts et propositions. Mais en devenant des éléments idéologiques, ces derniers perdent leur caractère scientifique, ils deviennent flous et invérifiables. On peut formuler des idées scientifiques, des jugements, des hypothèses dans les cadres de l'idéologie. Mais ce n'est pas là ce qui détermine la figure générale de l'idéologie. Les individus qui se livrent à ce type d'exercice, le font en tant que scientifiques, non en tant qu'idéologues, et seules les circonstances les obligent à s'exprimer dans le cadre de l'idéologie.

Bien entendu, les textes et discours idéologiques exercent une action sur les individus. Mais tel n'est pas le mode d'action spécifique de l'idéologie, qui vise les masses humaines. Son adoption exige par conséquent un appareil spécifique. Adoption qui se fait sans compréhension, car cette dernière est impossible, inutile ou hors de propos. Adoption sans foi, comme on l'a vu. Il se forme donc un appareil qui a pour fonction de contraindre une population à adopter une idéologie et à châtier ceux qui résistent à son action. Bien sûr, l'adoption est aussi bénévole, car lorsqu'une idéologie est dominante, son adoption permet à beaucoup d'espérer une ascension sociale et un certain nombre de privilèges. Pour beaucoup, l'existence serait tout simplement impossible s'ils n'adoptaient pas l'idéologie. A une certaine époque, l'église chrétienne, par exemple, disposait d'un appareil de contrainte similaire. Mais l'église conjuguait alors des fonctions religieuses et idéologiques. Parfois elle utilisait les premières au profit des secondes. C'est seulement récemment, lorsque des idéologies antireligieuses ont vu le jour (marxisme, national-socialisme), que la distinction et même l'opposition entre ces deux types de fonctions sont devenues possibles.

Venons-en à présent au marxisme. Historiquement, il est né avec la prétention d'une compréhension scientifique universelle. On sait que Marx étudiait même les mathématiques. S'il n'a pas su résoudre des problèmes que, de nos jours, même des cancres peuvent comprendre, il n'en a pas moins transmis à la postérité ses jugements profonds. Engels ne mérite même pas qu'on en parle. Il a embrassé toutes les formes du mouvement de la matière, depuis le déplacement mécanique jusqu'à la pensée. Il a produit une explication des origines de la famille, de la propriété privée, de l'Etat. Il a déversé tant de sottises que leur correction nécessiterait les efforts réunis de toutes les académies des sciences du monde. Chez Lénine aussi, chaque parole est un apport à la science. Il a même réussi le tour de force de faire avancer la logique sans avoir la moindre idée de la logique de son époque, en se fondant uniquement sur des connaissances puisées dans un manuel scolaire et sur les idées délirantes de Hegel.

De nos jours, le marxisme continue à avoir des prétentions scientifiques. Il s'annonce comme une science, et même comme la science suprême, la plus scientifique de toutes. Formellement, les spécialistes

127

du marxisme ont une formation universitaire semblable à celle des physiciens, des chimistes, des biologistes, des mathématiciens... Bien souvent, ils font leurs études en même temps que de vrais scientifiques, ils font partie de leur milieu, de sorte que la différence entre les deux catégories n'apparaît que par la suite, lorsqu'ils commencent à jouer leur rôle véritable (par exemple, lorsqu'un physicien entreprend des recherches en microphysique, tandis qu'un autre écrit des livres sur les écrits de Lénine et Engels en matière de physique ; lorsqu'un mathématicien démontre des théorèmes, tandis qu'un autre fait de la démagogie à propos des idées géniales des classiques du marxisme dans le domaine mathématique et qu'il établit une analogie entre le couple plus/moins et le couple bourgeoisie/prolétariat). Les spécialistes du marxisme obtiennent des titres et des grades scientifiques, sont élus dans les académies des sciences, etc. Il faut d'ailleurs reconnaître que certaines recherches, situées dans le cadre du marxisme, ressemblent à de la science et qu'on peut les considérer d'un point de vue scientifique. Mais enfin pour l'essentiel et pour l'ensemble, le marxisme a depuis longtemps perdu toutes les caractéristiques de la science (du moins en Union Soviétique) et il est devenu une idéologie au sens le plus strict de ce terme. Peut-être offre-t-il à l'heure actuelle le modèle le plus classique de l'idéologie. Telle est l'ironie de l'histoire. Les marxistes continuent à affirmer avec insistance que, grâce au marxisme, la philosophie est devenue pour la première fois une science. La situation réelle est diamétralement opposée à cette allégation : avec le marxisme, dans le marxisme, la philosophie a pour la première fois perdu tout caractère scientifique et elle est devenue le noyau et une partie constitutive de l'idéologie. Lorsqu'il semblait que la philosophie était devenue au plus haut point scientifique, elle n'avait jamais été aussi éloignée de la science dans la réalité.

Si le marxisme s'efforce d'apparaître comme une science, c'est pour un certain nombre de raisons à la fois historiques et sociales (je n'envisage ici que celles qui sont encore actuelles). La science a pris une telle importance dans la vie de la société qu'il est devenu vieux jeu de parler autrement qu'au nom de la science. Il y eut les illusions sur un fondement prétendument scientifique du paradis sur terre. Le marxisme est né dans une lutte contre la religion et les différentes formes d'idéologie qui étaient liées à elle, en leur opposant un point de vue scientifique sur toute chose. La science de l'époque avait un aspect tel qu'il était impossible de la distinguer nettement de l'idéologie, ce qui, même de nos jours, n'est guère facile : les sciences les plus récentes comportent parfois autant d'inepties idéologiques que dans le passé.

Mais surtout, ce qui détermine l'aspect pseudo-scientifique de l'idéologie marxiste, telle qu'elle fonctionne dans la société communiste (soviétique), c'est son rôle réel dans la marche de cette société : direction des masses humaines, uniformisation de leur comportement, exploitation des couches sociales inférieures, etc. Le marxisme prend un masque scientifique qui permet plus facilement de présenter la société qui s'est formée comme un produit supérieur et nécessaire des lois objectives de l'histoire, présenter l'activité des dirigeants comme si elle était conforme à ces prétendues lois, présenter tout calcul égoïste et toute sottise

129

sans nom comme une gestion scientifique géniale. Au cours des premières années (et même des décennies) de la société soviétique, pour une certaine partie de la population, la plus importante et la plus active, le marxisme jouait un rôle comparable à celui de la religion. On croyait en ses postulats et en ses slogans. Il régnait en maître sur les esprits de cette catégorie. Mais peu à peu, cette foi se volatilisa, surtout depuis la Seconde Guerre mondiale. Par suite, l'idéologie marxiste voulut s'attirer encore davantage la complicité de la science, en s'affichant comme une amie, une protectrice de la science et, cela va sans dire, comme la science suprême. La contrainte seule ne suffit pas pour imposer une idéologie d'une façon durable. Or, la foi a disparu. En notre siècle de folie scientifique, ce serait de la part de l'idéologie dominante une sottise impardonnable que d'aller contre son époque.

Mais le marxisme n'a pas seulement surgi comme une prétention à la compréhension scientifique du monde, il était aussi une expression des intérêts et des rêves des classes défavorisées, opprimées, celle des rêves séculaires de l'humanité concernant un paradis terrestre futur. Or, par leur nature même, les rêves et les aspirations n'ont rien à voir avec la science. Les rêveries sociales sont des utopies et il serait vain d'espérer que l'utopie devienne une science, comme nous l'enseignent la vraie science et toute l'expérience pratique de l'humanité.

Le marxisme n'est pas une science, non seulement en sa qualité de puissant organisateur de la population, mais aussi sur le plan textuel, comme on peut le montrer en analysant tous ses concepts et propositions, depuis le concept de matière jusqu'à celui du

130

« communisme scientifique ». Aucun, littéralement aucun concept du marxisme ne satisfait aux règles logiques de la formation des concepts scientifiques. Aucune proposition du marxisme (si l'on excepte les truismes) ne peut être vérifiée selon les règles de vérification des propositions scientifiques. Par exemple, lorsqu'il déchaîne ses foudres contre les philosophes qui ne lui conviennent pas (ces sortes de pogroms ne sont qu'une préparation théorique des futures grandes purges) et lorsqu'il fait passer des idées qu'il leur vole pour ses propres découvertes (ce qui est également bien dans l'esprit du marxisme), Lénine nous gratifie de « sa » fameuse « définition » de la matière, comme réalité objective qui nous serait donnée dans les sensations. Ce faisant, il croit naïvement (par ignorance) que « la matière » est le concept le plus large, tandis que des étudiants débutants et parfois même des écoliers savent très bien que selon les règles de définition des concepts, l'expression « réalité objective » est plus large que la « matière », et que les deux expressions : « réalité objective » et « donnée dans les sensations » « précèdent » celle de « matière », selon les règles de formation des concepts. Bien entendu, il faudrait ajouter que l'expression « réalité objective » n'a pas de signification plus claire que celle de « matière ». Mais ce type d'expressions apparemment profondes, mais creuses en réalité, produisent une impression hautement scientifique, parfois même sur des savants importants. Le fait n'a d'ailleurs rien d'étonnant, car les milieux scientifiques ne comptent pas moins de crétins que les autres professions. Lorsqu'ils inventent leur paradis terrestre communiste (tout en proclamant naturellement que leurs fictions constituent le « communisme scientifique »), les fondateurs du marxisme et leurs émules ignorent l'exigence la plus élémentaire de la science expérimentale, puisque l'objet de cette dernière (le communisme scientifique) n'existe pas. Mais même si l'on considère le « communisme scientifique » comme un projet de société future, nous trouverons encore une ignorance des exigences les plus élémentaires, indispensables pour une approche réellement scientifique de la société. Par exemple, on ignore complètement la différenciation de la société en groupes sociaux hiérarchisés, la division inévitable de la société en couches dotées de conditions de vie différentes, la diversité des activités et des positions sociales des hommes, toutes choses qui transforment les fameux slogans : « à chacun selon son travail » et « à chacun selon ses besoins » soit en bulles de savon de propagande (si on les comprend littéralement), soit en vérités qui n'ont plus rien à voir avec les affirmations initiales (le travail d'un chef est coté plus haut que celui des subordonnés, les besoins se définissent en fonction de la position sociale des individus).

Mais l'indice le plus clair du caractère non scientifique du marxisme, de sa nature idéologique, c'est son attitude devant l'expérience des sociétés communistes (ou socialistes) réelles, qui sont censées correspondre à son modèle. Le marxisme est incapable de refléter cette expérience même au niveau intellectuel auquel se situait sa critique de la société capitaliste. Plus de soixante années d'expérience en Union Soviétique, celle de beaucoup d'autres pays communistes, ont fourni et fournissent encore des témoignages irréfutables sur la nature de cette société. La terreur de masse, un bas niveau de vie pour la plus grande part de la population, la fixation au lieu de résidence et au lieu de travail, un écart colossal entre le niveau de vie des couches supérieures et celui des couches inférieures, l'écrasement de toute forme de dissidence, l'absence de libertés civiques, l'arrivisme, la vénalité, le système des privilèges, la gabegie, les dépenses somptueuses consacrées aux spectacles officiels, la militarisation, etc., etc. Quelle est la réaction du marxisme devant ces faits ? Le marxisme soviétique, de même que celui des autres pays communistes, les ignore purement et simplement, et il estime que toute allusion à ce sujet n'est que calomnie antisoviétique ou anticommuniste. Le marxisme occidental affirme que les communistes occidentaux édifieront une société communiste lavée de ces tares, tout en conservant les vertus des sociétés des démocraties occidentales. Il est difficile de trouver des idées plus ineptes du point de vue précisément scientifique. C'est justement une étude scientifique du communisme réel (et non fictif, idéologique) qui permet de découvrir sans trop de peine que tous les faits cités ne sont pas fortuits, qu'ils découlent des fondements mêmes de la société communiste, qu'ils sont des compagnons inséparables de la réalisation des idéaux marxistes. Le marxisme a eu beau débuter sa carrière historique par une volonté d'expliquer scientifiquement la marche des sociétés, il l'achève par un refus complet de comprendre scientifiquement la société où il a conquis le rôle d'idéologie dominante étatique.

Il est sans doute inutile d'évoquer la dictature idéologique que le marxisme a exercée dans l'histoire de l'Union Soviétique. C'est un fait suffisamment connu. Ce ne sont que des lâchetés, des tromperies et des crimes... Si l'on décrivait en détail tout ce dont l'appareil idéologique du marxisme s'est rendu responsable dans l'histoire soviétique, même les ennemis du marxisme douteraient de la véracité du tableau. L'on dit volontiers que les marxistes étaient guidés par de bonnes intentions. Chacun sait que l'enfer est pavé de bonnes intentions. Mais en fait, cette affirmation elle-même est fausse. Il n'y avait jamais eu d'autres intentions que celles de personnes en chair et en os, les soldats de cette armée d'idéologues marxistes ne cherchant qu'à satisfaire leurs besoins égoïstes. D'après les lois de la société que connaît l'histoire, il ne pouvait y avoir d'autres intentions. J'entends par là des lois normales de la société, et non les bavardages absurdes du marxisme sur l'histoire et la société, dont des millions et des millions de personnes ont été abreuvées et abruties.

Si le marxisme s'est avéré extrêmement commode en tant qu'idéologie des régimes communistes triomphants, ce n'est certes pas parce qu'il aurait été scientifique. S'il avait été une science, et à plus forte raison une science suprême, il n'aurait pu avoir aucun succès. Comme on le sait, la connaissance scientifique nécessite une instruction spécialisée, des années et des années d'apprentissage. Le marxisme s'est avéré commode justement parce qu'il a engendré un flot énorme de textes idéologiques, de promesses et de slogans démagogiques, tous d'allure scientifique, mais ne nécessitant aucune préparation scientifique. Si on le désire, on peut apprendre extrêmement rapidement à produire des textes et des discours marxistes qui conviendraient à toutes les situations possibles et imaginables. Quant au pouvoir, le marxisme lui offre une méthode merveilleuse et une phraséologie très riche pour justifier n'importe quelle vilenie. Tout crétin dirigeant peut y aller de son apport à la « science », si toutefois ses pairs le lui permettent (ou l'estiment nécessaire). La commodité du marxisme, pour les couches dominantes, ce sont ses concepts flous et informels, ses affirmations dénuées de sens, la nécessité non pas d'une compréhension directe, mais d'une exégèse, car cette dernière devient une prérogative des hauts dirigeants. Le marxisme comporte tant de sentences, et des plus variées, qu'il est toujours possible d'en trouver une qui convienne à n'importe quelle situation, et de l'interpréter dans le sens voulu. Cette tâche est exercée par l'énorme appareil idéologique du marxisme.

Alcala, décembre 1978.

La philosophie
soviétique

(Exposé à l'Université Alcala, en Espagne)

La philosophie soviétique fait partie intégrante du puissant appareil idéologique de la société soviétique. Seule, la commodité de l'exposé autorise qu'on l'envisage indépendamment de cet appareil. Il s'agit d'une couche assez importante (sur le plan quantitatif), qui comprend des personnes ayant reçu une formation philosophique spéciale, possédant des titres et des grades philosophiques, exerçant des activités dans des institutions philosophiques, ou qui, d'une façon ou d'une autre, ont un rapport quelconque à la philosophie. En Union Soviétique, il est impossible d'avoir des données précises sur l'importance numérique de cette catégorie et leur ventilation suivant les différents domaines. Mais j'estime que leur nombre total excède vingt mille. Cette catégorie occupe une place assez élevée dans la hiérarchie sociale soviétique. Elle comprend bon nombre de docteurs de troisième cycle, d'assistants et de professeurs, d'académiciens et de membres-correspondants, de directeurs d'instituts, responsables de sections et secteurs de recherches, rédacteurs en chef de journaux et revues, etc. Or, toutes ces catégories appartiennent aux couches privilégiées de la société. Même le bas de l'échelle bénéficie de conditions d'existence relativement correctes et beaucoup d'entre eux ont la perspective de grimper dans l'échelle hiérarchique, dont ils peuvent même espérer atteindre le sommet. Quoi qu'il en soit, les personnes qui choisissent la profession philosophique y renoncent rarement par la suite, à moins qu'ils ne puissent envisager une carrière plus rapide et une existence plus confortable dans l'appareil du parti (jusqu'au Comité central) ou dans les organes de la sécurité de l'Etat. La philosophie soviétique est entièrement contrôlée par le parti. Mieux, le parti dirige toute la masse des philosophes par le truchement de leur élite, et l'ensemble des philosophes est un instrument efficace du parti, dans sa tâche d'éducation idéologique, de contrôle idéologique de la société. L'écrasante majorité des philosophes soviétiques sont membres du parti et y ont des fonctions importantes. Rares sont ceux qui ne le sont pas ou qui ne se préparent pas à entrer au parti. En ce cas, ce sont des membres ou des ex-membres des jeunesses communistes (ayant dépassé l'âge). La sélection est très sévère dans les facultés de philosophie. Il est rare que des individus étrangers au marxisme (la philosophie officielle de l'U.R.S.S.) y pénètrent. Dès qu'ils sont découverts, ils sont réduits à néant et chassés. Toute la formation des philosophes n'est qu'une préparation au rôle de fonctionnaires préposés à l'idéologie. Formation assez primitive, superficielle et tendancieuse, mais largement suffisante pour le rôle futur de ces étudiants. Ceux-ci assimilent facilement et rapidement toute la sagesse philosophique, ils apprennent si vite à être démagogues et bavards que, dès leur troisième année d'études, il est souvent difficile de les distinguer des « classiques » du marxisme. Comme la sélection bénéficie essentiellement aux personnes sans talent et comme le niveau des études est très bas, le niveau intellectuel de la philosophie soviétique est proprement catastrophique. Afin de le rehausser tant soit peu, on attire dans ce milieu des mathématiciens, des physiciens, des biologistes, des historiens, essentiellement par le biais du troisième cycle de philosophie. Bien sûr, ce sont des mathématiciens, des physiciens et des biologistes médiocres mais ambitieux qui choisissent de se consacrer à la philosophie. Sur le fond des philosophes, ils progressent souvent rapidement grâce à « l'injection » de sciences exactes et ils font de belles carrières, relevant le niveau intellectuel de la philosophie, mais seulement en apparence. Ajoutons à ce tableau qu'un grand nombre de personnes appartenant plus ou moins à l'appareil du pouvoir aspirent à obtenir des diplômes, des titres et des grades philosophiques. Cette voie est séduisante car elle facilite leur carrière et présente assez peu de difficultés, car il faut être un crétin parfait pour échouer à un examen de philosophie ou ne pas réussir à soutenir sa thèse. Sauf erreur, je connais le cas d'un joueur célèbre de hockey qui a soutenu une thèse en philosophie et d'un diplomate qui est devenu académicien. Quant aux employés du KGB pourvus de diplômes philosophiques, docteurs ès sciences philosophiques et même membres-correspondants de l'Académie des Sciences, ils sont proprement innombrables. Même Petrossian, l'ex-champion du monde d'échecs, est docteur en troisième cycle de sciences philosophiques. En logique, d'ailleurs. Je laisse au lecteur le soin d'imaginer la qualité de cette logique !

139

Tel est le tableau (qui est loin d'être complet) de la situation « pratique » de la philosophie soviétique. Si on oublie de le prendre comme base réelle de la philosophie soviétique, on ne pourra la comprendre correctement à son niveau textuel. Certes, on peut trouver dans la philosophie soviétique des spécialistes corrects et intelligents, des travaux de talent qui supportent la comparaison avec ce qui se fait dans le monde. Mais ces exceptions sont soit le fait du hasard et d'un manque de vigilance de la part des autorités philosophiques, soit le résultat d'efforts et de louvoiements individuels invraisemblables, soit enfin le fruit d'un calcul délibéré, où elles sont admises pour rehausser la façade extérieure de la philosophie, une manière de bluff destiné aux étrangers et aux rapports annuels qu'on fournit aux autorités. Ces exceptions ne changent pas le tableau général de la philosophie soviétique et son rôle réel. D'autant plus que, de façon générale, elles ne sont pas encouragées, mais plutôt persécutées. C'est pourquoi je ne parlerai plus à présent que de la norme et non des exceptions. Un jour, j'ai qualifié publiquement la philosophie soviétique de dépotoir intellectuel et moral : cette appréciation, je la maintiens, car je considère qu'elle correspond parfaitement à la situation.

La philosophie soviétique est une partie de l'idéologie officielle, elle n'a rien à voir dans son essence avec la science, mais elle s'efforce par toutes les manières de passer pour une science, et même pour la plus haute, la plus profonde, la plus universelle, la plus rigoureuse et la plus exacte des sciences. Vous ne trouverez pas un seul événement historique important ou une découverte scientifique que les philosophes soviétiques ne prétendent pas expliquer de la façon la plus correcte et la plus authentiquement scientifique. Psychologiquement, la philosophie soviétique se caractérise essentiellement par la conscience de sa supériorité « authentiquement scientifique », « seule correcte », etc., au regard de tous les autres philosophes présents et passés (y compris les confrères marxistes occidentaux, exception faite, bien sûr, de Marx et de Engels). Et bien que les philosophes soviétiques reconnaissent souvent, dans le privé, qu'ils sont des ignares, des médiocres et des escrocs, cela ne les empêche nullement de poser publiquement comme s'ils étaient des représentants d'une « race » philosophique supérieure.

Les philosophes soviétiques définissent la philosophie comme la science des lois les plus générales de la nature, de la société et de la connaissance, sans se soucier ni se douter le moins du monde des pièges que recèlent les termes qu'ils emploient. En réalité, toute loi est universelle, mais non « générale ». Il n'existe pas de lois prétendues générales. Que l'on me donne un seul exemple de ces pseudo-lois générales et je me fais fort de montrer qu'elle est soit fausse (c'est-à-dire qu'il existe des exceptions qui l'infirment) soit qu'elle n'est qu'un consensus sur le sens de certains termes généraux. Mais admettons que ce que les philosophes soviétiques appellent des « lois générales » ne soit qu'une série d'expressions empruntées au langage commun, comme « la matière », « l'espace », « le temps », « le mouvement », « la qualité », « la quantité », etc. Ces expressions impliquent malgré tout un certain cadre, certaines limites. Toutefois, si l'on analyse les travaux des philosophes soviétiques, on s'apercevra qu'ils ne respectent jamais ces limites. Ils parlent, ils écrivent sur n'importe quoi. Ils interviennent dans toutes les sphères de la culture que les autorités leur indiquent, ou bien qui peuvent leur procurer un certain profit matériel, leur ouvrir une carrière, satisfaire leur vanité. Il m'est arrivé plusieurs fois de faire partie d'une commission qui examinait des thèses de troisième cycle ou des thèses d'Etat. J'eus l'occasion de parcourir des centaines de thèses. Seul, un dixième d'entre elles correspondait à ce que l'on entend d'habitude par philosophie. D'après ce que j'ai pu observer, le tableau n'a guère changé depuis.

Mais quel que soit le domaine qui occupe les philosophes soviétiques, leur tâche principale est la propagande du marxisme, elle est de l'imposer dans toutes les sphères de la vie morale de la société, d'habiller en marxisme tout ce qui peut être important dans le domaine culturel ; c'est aussi la propagande et la glorification des discours des dirigeants du parti, la persécution systématique de tout ce qui sort du cadre autorisé. Par exemple, la principale revue philosophique, « Problèmes de philosophie » (*Voprosy Filosofii*) a fait preuve, au cours de la période la plus « libérale », d'une telle flagornerie éhontée envers Brejnev, que même la revue « Sous le drapeau du marxisme » (*Pod znamenem marksizma*), naguère si servile à l'égard de Staline, aurait pu l'envier. Il m'est souvent arrivé d'entendre des personnes qui prétendaient au statut de scientifiques, manifester leur mépris à l'égard du marxisme, de Khrouchtchev, de Brejnev et soutenir que les références et les citations qu'ils en faisaient n'étaient qu'une pure formalité ; l'idée était la suivante : une citation de Brejnev pour donner le change, moyennant quoi on peut écrire tout ce qu'on veut.

C'est là une erreur capitale ! Premièrement, on ne peut pas écrire ce qu'on veut, car il existe des contrôleurs qualifiés à toutes les instances de la presse et de l'édition. Deuxièmement, ce qui est purement formel, c'est le « ce qu'on veut », l'essentiel étant précisément les citations des « classiques » du marxisme et des dirigeants du parti. Si ces citations passent au second plan, c'est dans l'imagination des auteurs qui cherchent à « présenter bien ». En fait, les années passent et c'est le contenu de leurs travaux qui est oublié et il ne reste plus que la réalité de leur action au nom du parti et du marxisme.

La philosophie soviétique comporte plusieurs greffes isolées qui, en elles-mêmes, peuvent être considérées comme des branches scientifiques. Telles sont, par exemple, la logique, l'épistémologie, l'esthétique, l'éthique, etc. Mais leur poids dans l'ensemble de la philosophie soviétique est minime. En outre, elles aussi sont investies de fonctions idéologiques, car elles sont des éléments de la vie idéologique. Par exemple, même mes recherches en logique, qui pourtant n'avaient rien à voir avec le marxisme, ont été utilisées pendant un certain temps dans les intérêts de ce dernier. Ne serait-ce que comme un exemple de la « liberté de création » qui aurait soi-disant régné dans la philosophie soviétique.

La philosophie soviétique s'efforce de marcher avec son temps. On découvre une nouvelle particule en physique ? Aussitôt : articles, thèses, symposiums. On découvre un « trou » dans le cosmos ? Articles, thèses, symposiums. Un régime communiste s'instaure quelque part en Afrique ? Articles, thèses, symposiums. On a rédigé un nouveau discours ou même un livre de

Brejnev sur ses exploits remarquables ? Aussitôt, cela va de soi : articles, thèses, symposiums. Mais tout ceci n'est en réalité qu'une réaction purement idéologique, c'est-à-dire formelle, aux événements extérieurs. La philosophie ne prend jamais une part quelconque à la recherche scientifique. Elle ne fait aucune découverte qui lui soit propre. Mieux, elle est appelée, par sa nature même, à interpréter et généraliser des découvertes. Comment « généraliser » et « théoriser » ? N'y cherchez pas un sens scientifique quelconque. Théoriser, ici, signifie exprimer oralement ou par écrit une quantité suffisante de mots de façon que les chefs soient contents et qu'en même temps l'auteur puisse en tirer un certain profit. Pour atteindre ce double objectif, il n'y a qu'une voie : celle de coller ensemble, d'une façon ou d'une autre, les apports de la science ou les événements, avec les banalités ou les inepties marxistes ; c'est la voie de la propagande et de la glorification de l'idéologie marxiste officielle.

La philosophie soviétique se caractérise également par un pillage éhonté de la science, de la culture et de la philosophie occidentales. Pillage qui s'opère sous couvert d'une critique de la pensée philosophique occidentale. Le mécanisme habituel est le suivant : on vole une idée occidentale, on fait comme si les philosophes soviétiques l'avaient trouvée tout seuls ou bien comme si cette idée se trouvait déjà chez les « classiques », puis on critique les Occidentaux pour avoir déformé cette même idée. Certains philosophes soviétiques, parmi les plus instruits et les plus doués, prétendent utiliser la critique de la pensée philosophique occidentale comme couverture pour la faire connaître aux lecteurs soviétiques et exprimer leurs propres idées originales, qui, d'après eux, sortent du cadre marxiste. Malheureusement, ils s'abusent volontairement. Lorsque les censeurs et les contrôleurs idéologiques soviétiques autorisent la publication de ce genre d'ouvrages ou d'articles « audacieux » (ils sont habituellement publiés dans des revues et éditions du parti), ils savent très bien ce qu'ils font. Les « propres idées originales » des auteurs n'apparaissent que comme de minuscules appendices aux positions fondamentales du marxisme, la pensée occidentale est assaisonnée selon les besoins du consommateur soviétique, dûment endoctriné. Des idées, il ne reste plus rien, si ce n'est un dessein, une intention.

La philosophie soviétique existe et elle produit de puissants torrents d'ordures idéologiques, destinées principalement à la consommation intérieure et en partie à l'exportation. En Union Soviétique, on fabrique toujours un peu mieux les produits d'exportation que ceux qui sont destinés à la population. Actuellement (depuis deux décennies environ), la philosophie soviétique s'efforce de se conquérir une place sur le marché idéologique et culturel international. C'est pourquoi elle fait tout son possible pour avoir une allure présentable. Sinon, depuis le coup qu'a subi le prestige intellectuel et moral du marxisme, elle ne pourrait prétendre à aucune espèce d'autorité. Mais là encore, la philosophie soviétique ne peut être rien d'autre qu'un élément de l'expansion idéologique de l'Union Soviétique dans les pays occidentaux. Si cultivés, intellectuels, libéraux et tolérants qu'apparaissent les représentants de la philosophie soviétique dans leurs rapports avec les Occidentaux, ils ne font que remplir un peu mieux la fonction qui était jadis dévolue aux staliniens orthodoxes. Si vous rencontrez ce genre de personnages, sachez donc qu'ils ont été spécialement sélectionnés pour leur rôle : ils doivent produire une certaine impression, on leur permet d'avoir une « pensée libre » et même, de temps en temps, de critiquer certains aspects du marxisme et reconnaître quelque mérite à la philosophie occidentale.

Quelle est l'attitude de la population soviétique envers ces philosophes ? Dans la plupart des cas, elle n'éprouve que de l'indifférence ou du mépris. Toutefois il faut se garder d'en tirer des conclusions optimistes. Quelle que soit l'attitude des gens à l'égard de la philosophie, ils la côtoient en permanence et subissent son contrôle et son influence abrutissante. On n'y résiste pas, car la résistance signifierait de mauvaises notes aux examens et aux devoirs, l'exclusion des instituts, une promotion impossible, etc. On est donc obligé d'accepter cette philosophie, de l'assimiler, ce qui ne peut pas ne pas former les consciences et le mode de pensée d'une façon déterminée. En conséquence, même des personnes qui critiquent le mode de vie et l'idéologie soviétiques, entreprennent de la réfuter sur le même plan, avec les mêmes moyens intellectuels, les mêmes effets ; autrement dit, elles restent prisonnières de cette philosophie.

Quelles sont les perspectives de la philosophie soviétique ? Elles sont excellentes. Par le nombre de ses philosophes diplômés, de ses docteurs, assistants et professeurs de philosophie, l'Union Soviétique a dépassé depuis longtemps les pays capitalistes les plus développés. Il est vrai qu'actuellement, le taux de croissance s'est quelque peu ralenti. En revanche, la qualité des philosophes s'améliore chaque année, les rendant de plus en plus semblables aux modèles occidentaux (ils étudient des langues étrangères, se laissent pousser la barbe, traitent les philosophes occidentaux de collègues, etc.); en même temps, ils s'acquittent parfaitement de leurs fonctions traditionnelles de vigiles, de meute idéologique. Actuellement, en Occident, on accueille déjà les philosophes soviétiques à bras ouverts et on peut prévoir que bientôt, ils se sentiront ici comme chez eux. En retour, les philosophes soviétiques offrent un terrain très riche pour satisfaire la vanité de philosophes occidentaux vieillissants ou déjà vieillis, lesquels, pour la seule mention de leur nom dans les publications soviétiques (même si c'est pour y figurer comme des attardés ou des laquais du capitalisme !), sont prêts à sacrifier toutes les valeurs occidentales.

Les philosophes soviétiques possèdent un grand nombre d'avantages par rapport à leurs homologues occidentaux. Premièrement, ils n'ont pas besoin de se tourmenter pour chercher des idées nouvelles, car ces idées, ils les ont eues, ils les ont et ils les auront : ce sont les idées du marxisme, ainsi que les résolutions géniales (comme il va de soi) du Parti et du Gouvernement, ainsi que les discours non moins géniaux des dirigeants. Or, quoi de plus neuf et de plus profond que les discours des dirigeants, rédigés spécialement pour eux par un personnel qui comprend ces mêmes philosophes ! Deuxièmement, malgré leur variété, les philosophes soviétiques forment un tout monolithique, en leur qualité de fonctionnaires de l'appareil idéologique de l'Etat, tandis que la philosophie occidentale éclate en dizaines et centaines d'écoles, groupes et groupuscules de toutes sortes. Troisièmement, la philosophie soviétique s'appuie sur toute la puissance de l'Etat soviétique, qui la soutient comme une de ses armes importantes, ce qu'on ne peut dire de la philosophie occidentale. Quatrièmement, la philosophie soviétique est constamment prête à attaquer un ennemi quel qu'il soit, pourvu qu'on le lui indique d'en haut, et cela sans éprouver aucune émotion particulière, faisant son travail de meute comme une besogne quotidienne et banale. Et enfin, la philosophie soviétique reste gagnante, qu'on la loue ou qu'on la critique : elle gagne sitôt qu'on lui accorde la moindre attention, car alors, elle cesse de se considérer comme le dépotoir idéologique qu'elle est ; elle devient à ses propres yeux un phénomène important dans la vie morale de l'humanité. Et c'est bien ainsi qu'elle commence à apparaître à son entourage. Seuls, le mépris et l'indifférence la ramènent au niveau d'importance qui lui convient. Mais la philosophie occidentale est incapable d'une telle attitude. Je n'appelle nullement à boycotter complètement la philosophie soviétique. Mais je crois qu'il serait raisonnable de considérer individuellement les philosophes soviétiques qui le méritent et de les prendre comme des individus et non comme des parties d'un tout qui serait la philosophie soviétique. Sinon, on introduit automatiquement un déséquilibre entre les partenaires : d'un côté, on a le puissant Etat soviétique, représenté ici par des fonctionnaires idéologiques spécialement sélectionnés pour leur mission, et de l'autre côté, des individus et des organisations qui ne représentent rien qui soit étatique. A ce propos, je voudrais souligner que l'association mondiale de philosophie qui existe actuellement n'a absolument rien de commun avec les intérêts de la science et contribue grandement à renforcer la position de la philosophie soviétique. Mais je doute que les philosophes occidentaux y renoncent, car elle leur offre, à eux aussi, la possibilité de se divertir dans ces spectacles ineptes que sont les congrès internationaux et autres événements du même genre. C'est là aussi une faiblesse de la philosophie occidentale. Par son caractère massif, elle tend à ressembler à son homologue soviétique sous plusieurs aspects, mais en même temps elle n'est pas chargée de servir une idéologie d'Etat, un parti dirigeant ou une société prise comme un tout.

En conclusion, je voudrais faire remarquer que si l'on considère la philosophie soviétique du point de vue des problèmes étudiés par tel ou tel philosophe, des listes de travaux publiés par eux, on s'interdit de voir ce qui en fait l'essentiel, à savoir le rôle qu'elle joue dans la société soviétique ainsi que dans l'expansion de cette dernière vers l'Occident. La philosophie soviétique, c'est une grande masse de gens, parmi lesquels un philosophe occidental pourra toujours trouver un semblable. Mais avant de le prendre pour un collègue, un pair lancé dans la recherche de quelque vérité, l'Occidental ferait bien de savoir que ce prétendu collègue (à de très rares exceptions près), est un employé de l'appareil idéologique de la société communiste et qu'il fait partie de la meute dont lui, le philosophe occidental, est une victime potentielle et même présente.

Alcala, décembre 1978.

Communisme,
religion, morale*

Mon exposé a pour thème la religion et la morale dans la société communiste. J'aborderai successivement les deux problèmes suivants : 1) Quelle est l'attitude fondamentale de cette société envers les formes de religion et les normes morales dont elle a hérité du passé ? 2) Cette société est-elle susceptible d'engendrer de nouvelles formes de religion et de morale, en vertu de ses propres conditions de fonctionnement et, si oui, à quelle échelle et sous quelles formes ?

Dans le domaine de la religion, la réponse à la première question est généralement considérée comme évidente : le régime communiste s'efforce de limiter l'influence des anciennes formes de religion sur la population et, comme objectif ultime, de les réduire à néant. Seulement pourquoi ? En dépit des persécutions, les religions anciennes existent toujours. Grâce à quoi ? Cela signifierait-il qu'elles plongeraient des

* Texte de la conférence prononcée le 31 janvier à Lausanne, le 1er février à Genève et le 2 février à Crêt-Bérard, lors d'une journée organisée par Evangile et Culture.

151

racines trop profondes dans les âmes et les consciences pour que les gouvernants de la nouvelle société ne puissent les extirper ? Le cas de la religion orthodoxe en Union Soviétique peut servir de modèle classique pour nos réflexions. Certes, la situation des autres formes de religion, des religions dans les autres pays communistes, diffère, à bien des égards, de la situation de la religion orthodoxe. Mais ces différences n'infirment pas la règle générale dont le sort de la religion orthodoxe est la meilleure illustration. On explique généralement la chute brutale de la pratique religieuse en Russie et l'affaiblissement de l'Eglise orthodoxe consécutifs à la révolution par des persécutions de la part du pouvoir. Bien entendu, ces persécutions ont effectivement eu lieu ; c'est un fait. Actuellement, l'Eglise orthodoxe ne fonctionne que dans des limites imposées, très étroites, et sous le contrôle du pouvoir. Mais enfin, les persécutions ont leurs causes. On ne peut tout de même pas les envisager comme une preuve de je ne sais quelle méchanceté sans raison de quelques dirigeants, de la sottise ou d'autres défauts des leaders révolutionnaires et bâtisseurs de la nouvelle société. La cause des persécutions réside dans l'aspect que la religion orthodoxe avait pris dans la Russie d'Ancien Régime : son rôle social, son rôle dans la période révolutionnaire et post-révolutionnaire. La religion dote les hommes d'une certaine conception du monde et de certaines formes de comportement qui entrent en conflit avec l'idéologie communiste et avec les formes de comportement exigées par la nouvelle société naissante. Dans la société communiste, les hommes et leur existence quotidienne se font de telle façon que les formes anciennes de la religion s'avèrent tout simplement inadéquates à la nouvelle réalité. Voilà qui, bien plus que les persécutions, a grandement contribué au déclin de la religion orthodoxe en Russie. Les autorités n'ont fait que s'appuyer sur cet aspect des choses. Le résultat, ce fut que la partie la plus active, la plus instruite, la plus créatrice de la population est sortie de l'orbite religieuse, qu'elle est devenue athée. Non pas par crainte de la répression (bien que ce facteur ait joué un rôle), mais, pour la plupart, de leur plein gré, en vertu même des nouvelles conditions de l'existence et de l'instruction. Dans cette lutte dont l'enjeu était les âmes humaines, la religion orthodoxe s'avéra incapable de soutenir la concurrence avec l'idéologie régnante, le système d'enseignement et la culture générale. Il n'y a plus aucune chance pour que la situation change en sa faveur. La situation est grosso modo la même pour les autres religions, islam compris. Il est pour le moins naïf d'espérer que la croissance démographique dans les républiques musulmanes soviétiques puisse changer sensiblement la situation dans le pays. Ces républiques ont vu aussi se former une nouvelle structure sociale, une nouvelle culture, un haut niveau d'instruction, une idéologie puissante, un nouveau système de pouvoir. Dans ces régions, l'islam n'a pas plus (ou pas beaucoup plus) de possibilités dans la conquête des âmes que la religion orthodoxe en Russie.

Si les religions anciennes parviennent à se conserver dans les pays communistes, c'est grâce au fait qu'elles capitulent devant le régime, s'adaptent, pactisent, et grâce en partie à certains calculs qui président à la politique intérieure ou extérieure du pouvoir. Ces calculs sont bien connus, mais il en est un dont on ne parle guère malgré sa grande importance. Je l'évoquerai plus loin. Les religions anciennes se conservent à titre de phénomènes secondaires dans la vie sociale, de sorte que le terme noble de « religion » ne peut s'y appliquer que si on le comprend comme une réminiscence d'un passé glorieux. Des phénomènes analogues à la flambée « religieuse » en Pologne n'infirment pas la règle générale. Si j'ai mis l'adjectif « religieuse » entre guillemets, c'est parce que les fondements de cette flambée ne sont pas religieux. C'est une révolte sociale de la population contre les conditions d'existence, qui a pris une forme religieuse à la faveur des conditions historiques concrètes de la Pologne actuelle. Elle ne prouve pas que les formes religieuses anciennes puissent demeurer vivaces dans une société communiste.

Le second problème posé plus haut me paraît plus fondamental : la société communiste comporte-t-elle ses propres sources de religion qui lui soient inhérentes ? Voilà ce qui décidera finalement du sort de la religion dans cette société, y compris celui des anciennes formes religieuses. Ces sources, ces fonctions, peuvent être semblables ou non à celles qui avaient cours à l'aube de l'humanité ou bien dans des sociétés d'un autre type. Les phénomènes religieux qui se développeraient sur le corps du système communiste peuvent consciemment utiliser la culture toute prête héritée du passé ou encore en redécouvrir certains éléments à son insu. A cet égard, le processus historique concret peut prendre les formes les plus étranges, les plus décourageantes. Cependant, le fond du problème reste le même : si le communisme fait renaître,

154

même sous une forme transformée, des religions anciennes, ce sera un produit culturel qui lui sera propre et non un signe de son impuissance devant le passé. Ce sera une impuissance devant sa propre nature, mais une impuissance qui, avec le temps, pourrait le doter d'une force immense.

Si l'on observe la société soviétique actuelle (ce modèle classique de la société communiste), l'on découvre un fait qu'il est encore difficile d'évaluer précisément. Je veux parler de cette tendance qu'a une partie de la population (pour le moment, il s'agit surtout de l'intelligentsia) à rechercher son indépendance morale vis-à-vis de l'idéologie dominante et, par voie de conséquence, à mener un mode de vie quelque peu différent de celui qui est officiellement reconnu et approuvé. Actuellement, cette tendance se révèle sous des formes connues, qui ont trait à la vie courante : vogue du yoga, de la parapsychologie, de la philosophie religieuse ; formation de petits groupes idéologiques ; diffusion d'une sorte de culture des conversations « profondes » ; et même les groupes de buveurs et les relations sexuelles. J'y vois des phénomènes qu'on ne peut apparenter au sentiment religieux ou du moins à une base psychologique qui lui permettrait de se développer. Je suis convaincu que ce besoin de « l'âme », ce besoin de « spiritualité » et d'un mode de vie qui lui serait adéquat est signe qu'on éprouve un besoin organique de la religion, dans les conditions mêmes de la société communiste athée.

Pour une part, ce besoin se réalise dans un élan vers les formes religieuses traditionnelles et surtout vers la religion orthodoxe. On y voit parfois le signe d'une renaissance ou du moins d'un réveil des formes religieuses traditionnelles, et non la naissance de quelque chose de nouveau qui, du fait des circonstances, se serait provisoirement incarné dans les formes anciennes. Néanmoins, ce nouveau besoin religieux ne peut prendre des dimensions importantes, ne peut devenir durable dans les formes anciennes qui lui sont inadéquates ou peu adéquates. Seule la découverte de nouvelles formes religieuses qui répondraient aux mentalités, à la spiritualité, aux conditions d'activité des hommes vivant dans la société communiste moderne, permettra au besoin religieux d'être le point de départ d'une véritable renaissance religieuse. Dans une société communiste, une renaissance religieuse ne saurait être celle des religions anciennes, elle ne peut être qu'une naissance de nouvelles formes religieuses. Si l'on envisage les perspectives du christianisme et de l'islam (et d'autres religions) dans la société communiste, l'on dira que leur grand rôle historique appartient au passé. Ces religions peuvent encore avoir une longue existence qui se comptera peut-être par siècles. Mais, je le répète, elles n'auront qu'un rôle très secondaire et seront soumises au contrôle de l'idéologie officielle.

Dans la société communiste, une nouvelle religion peut surgir comme un moyen d'autodéfense employé par une catégorie contre l'oppression de la société, c'est-à-dire du pouvoir, de la collectivité, de l'idéologie. Il va donc de soi que les forces hégémoniques de la société combattraient cette nouvelle religion plus cruellement que lorsqu'il s'agit des religions anciennes. Ces forces hégémoniques établissent des compromis avec les religions anciennes, elles leur permettent d'exister et les soutiennent, dans quelque mesure, avant tout pour empêcher une renaissance religieuse véritable. Le pouvoir sait bien que personne ne combattra les nouvelles formes religieuses avec autant d'acharnement, de minutie que le font les anciennes religions surannées. A cet égard, le maintien et le renforcement de la religion orthodoxe et de l'islam en Union Soviétique est avant tout un puissant outil du pouvoir contre l'éveil religieux véritable du pays. Tel est le fond de la tragédie religieuse de cette société : tout y concourt à étouffer ce qui pourrait en principe devenir un moteur du progrès de l'homme en tant qu'individu et de la société en tant que collectivité d'individus.

Comment imaginerai-je cette religion possible au sein de la société communiste ? Une religion comporte une certaine conception de l'être (de la nature, de la société et de l'homme) dont la foi en des dieux (ou en Dieu) constitue un élément fondamental, ces dieux étant conçus comme des êtres tout-puissants, ayant pouvoir sur les destinées humaines. La religion comporte également une doctrine de l'existence : un ensemble de règles spirituelles et une discipline de comportement. Il s'agit certes de comportement conforme à la volonté divine, mais il s'avère utile pour les hommes aussi. S'il en était autrement, la religion ne serait pas adoptée. Certes, la façon dont une religion s'impose comporte un élément de contrainte et de tradition qui limite le choix, mais il y a là aussi un élément de libre arbitre qui joue un rôle décisif au cours de sa genèse. Tout cela bien entendu n'existe pas à l'état pur, mais plonge dans un contexte de « sagesse des nations », de légendes, d'habitudes, de mythologies et d'autres aspects de la culture.

Dans la société communiste, la doctrine de l'existence (de la nature, de la société et de l'homme) est construite grâce aux efforts conjugués de la science, de l'idéologie et des arts. Elle est inculquée à la population par tout le système d'enseignement et d'éducation, par la propagande et, de façon générale, par ce puissant torrent culturel qui se déverse sur les hommes et qui en devient le milieu d'existence habituel. La conception religieuse du monde, au sens traditionnel, est incapable de la concurrencer. Il n'y a plus de place pour la foi en des dieux. Les hommes accepteraient volontiers l'existence de Dieu, s'il s'agissait d'un fait établi scientifiquement. Un tel Dieu serait commode pour se décharger de la responsabilité de ce qui existe et pour justifier sa passivité. Mais la science peut tout au plus formuler des hypothèses sur l'existence de créatures raisonnables extra-terrestres, ce qui n'a rien à voir avec le concept de Dieu. En outre, dans la société communiste, les hommes sont contraints de mener un mode de vie tel que les postulats des anciennes doctrines religieuses de l'existence deviennent pratiquement inapplicables, ou bien ils perdent toute signification du fait de la nouveauté des situations, ou encore ils sont automatiquement appliqués en raison d'autres normes de comportement non religieuses, ou enfin ils n'apportent pas le résultat escompté. Pour la majorité de la population active, ils ne sont plus que des formules creuses ou bien des conseils édifiants de vieilles bonnes femmes antédiluviennes. Les hommes sont prêts à accepter quelque chose d'analogue, même sur le plan que je viens de décrire, mais à condition que cela corresponde à leur image de la société, à l'image qu'ils se font d'eux-mêmes, et que cela ne gêne pas leur activité ordinaire.

Cette nouvelle religion possible dont je parle ne pourrait surgir et se maintenir qu'à la condition qu'elle propose une doctrine de l'être intellectuellement supérieure à l'idéologie officielle, plus véridique qu'elle, et une doctrine de l'existence qui soit pratiquement accessible et substantiellement utile aux hommes. Cette doctrine de l'être devrait donner un tableau impitoyable de la société humaine et de l'homme qui ne laisserait aucune illusion sur les chefs, les partis, les mouvements politiques et autres. Elle devrait proclamer la nécessité pour l'homme de se tourner vers son âme et de se préoccuper de sa santé spirituelle, de s'élaborer un mode de vie dans le cadre des possibilités sociales qui lui seront données, lui permettant d'être en même temps un membre normal de cette société. La doctrine de l'existence doit offrir un système minutieusement élaboré des règles de comportement pour toutes les situations de la vie, vérifiées et confirmées par l'expérience individuelle de tous ceux qui entreprendraient de suivre cette voie. Une telle religion serait parfaitement compatible avec l'athéisme (en tant que refus des religions anciennes). C'est pourquoi le personnage du mécréant croyant que j'ai mis en scène dans mes livres n'est pas un paradoxe littéraire, mais le reflet d'une situation très réelle concernant une certaine catégorie de personnes dans la société communiste. Dieu n'est pas nécessairement exclu. Simplement, le rapport de l'âme à Dieu se trouve changé. Le concept de base de la religion devient l'idée de l'âme en tant que propriété naturelle de l'homme. Quant à Dieu, il peut être inventé comme un concept dérivé. La religion doit être inventée comme un produit de très haute culture au regard du niveau culturel général de la population.

Comprise ainsi, une nouvelle religion pourrait surgir d'abord comme une conception du monde et un mode de vie concernant une petite partie de l'intelligentsia instruite, condamnée, pour différentes raisons, à une existence sociale pitoyable. J'entends « surgir » non pas au sens où elle naîtrait sous la forme d'une organisation avec un certain partage de fonctions, un règlement intérieur et une hiérarchie, mais au sens où il s'agirait d'une unité spirituelle entre des individus pris dans des relations personnelles. Car une organisation structurée serait rapidement démantelée par le pouvoir de la société communiste, et si même elle survivait, elle deviendrait une institution communiste ordinaire et perdrait ses qualités initiales. Si une religion faite d'unité spirituelle entre individus voyait le jour, elle ne gagnerait pas pour autant, ni nécessairement, la société. Le plus probable, c'est qu'elle n'entraînerait pas moins de martyrs que le christianisme au début de son existence.

Si on le pose de cette façon, le problème de la religion en société communiste se trouve étroitement lié à celui de la morale. La morale a d'autres origines que la religion, bien que les cours de l'une et de l'autre finissent par se confondre. Dans la société communiste, les anciennes normes de morale perdent toute signification en l'absence des situations que ces normes prévoyaient, ou bien elles perdent le caractère de normes morales (par exemple lorsqu'elles sont fixées dans les normes juridiques ou des rituels de comportement reconnus), ou encore elles sont remplacées par

160

d'autres normes de comportement. Dans cette société, le comportement moral et les normes qui lui correspondent paraissent surgir sur une table rase, comme une volonté de limiter le déchaînement incontrôlé des éléments sociaux. Cette volonté ne découle d'ailleurs pas d'intérêts collectifs (comme c'est le cas du droit), ni d'une crainte du châtiment (la loi ne condamne pas les comportements amoraux, elle les encourage même parfois), ou encore de l'opinion publique (qui fonctionne comme la loi) ou encore de Dieu (qui n'est pas reconnu) ; mais elle découle du libre arbitre de l'individu lui-même. C'est une autolimitation intérieure des éléments sociaux. L'individu se charge alors librement de certaines obligations morales, en créant un modèle de comportement moral pour les autres. Certes, consciemment ou inconsciemment, il escompte que les autres hommes en fassent autant et que son entourage sache priser son sacrifice. Parfois, ses espoirs se justifient. A telle enseigne qu'il se forme des rapports personnels obéissant à des normes morales, dans certaines couches de la population et pour une certaine part de leur action. Par exemple, des postulats moraux comme la nécessité de tenir sa parole, ne pas dénoncer son prochain, ne pas lécher les bottes des chefs, ne pas causer de tort aux autres, même si on peut le faire en toute impunité — ces postulats deviennent des normes pratiques, effectives. Il est vrai que c'est là chose rare, que ces phénomènes restent faibles, peu sûrs. Mais enfin ils renaissent constamment comme autant de tentatives spontanées et individuelles destinées à limiter l'action des lois de la société. Il faut dire que dans les conditions d'une société communiste, ces tentatives ne sont pratiquement pas encouragées par le monde

161

officiel. Les personnes qui empruntent cette voie ne réussissent pas dans la vie et subissent même beaucoup de préjudices. Pourtant une certaine partie de la population se hisse jusqu'à ces formes de comportement et sacrifie son bien-être au nom de cet idéal. C'est précisément ce caractère sacrificiel de la morale qui lui prête des traits religieux. En outre, le contenu même des normes morales coïncide pour l'essentiel avec celui de la doctrine religieuse de l'existence, de sorte que bien souvent, il est tout simplement impossible de distinguer les postulats religieux des postulats moraux. Par exemple, la non-participation au pouvoir est en même temps une des conditions de la santé spirituelle d'un individu et une des limites que les hommes peuvent se poser dans le contexte général d'une lutte acharnée pour le pouvoir. Dans l'ensemble, le comportement moral coïncide avec le comportement religieux. Certes, il y a là des divergences, mais je n'ai pas le loisir de m'y arrêter ici.

Tout comme en religion, le comportement moral n'est ni connu, ni à la portée de chacun. Il exige des efforts, une capacité à se sacrifier et un niveau culturel suffisant pour qu'on en comprenne le sens moral. De sorte que le progrès moral d'une société ne peut commencer, lui aussi, qu'à partir d'une source limitée. C'est seulement progressivement qu'il peut contaminer une partie de la population suffisamment influente. C'est là une chose possible mais non inéluctable. Tous ces jugements que je porte ont un caractère hypothétique, bien qu'ils se fondent sur des faits.

Ma conclusion générale est que dans la société communiste, de nouvelles formes de religion et de morale sont possibles comme une autodéfense d'une partie de la population contre les éléments sociaux, contre le pouvoir, contre l'idéologie et contre d'autres aspects de la société qui rabaissent l'homme au rang d'un rouage sans âme de la machine sociale.

Staline et le stalinisme

On ne peut porter un jugement sur la personnalité de Staline sans le faire pour l'époque qui fut indissolublement liée à son nom, celle du stalinisme. Qu'est-ce que Staline sans le stalinisme ? Un bonhomme de petite taille. Un séminariste raté à moitié analphabète. Visage grêlé. Accent géorgien. Fourbe, rancunier et cruel. Laissait des traces de graisse sur les livres, avec ses doigts... N'est-ce pas un peu maigre pour caractériser un homme qui régna et règne encore sur l'esprit et le cœur de millions de personnes ? A la suite de cet ouragan que furent les révélations sur les horreurs de la période stalinienne, lequel avait commencé avec le célèbre rapport Khrouchtchev et atteint son apogée avec la parution de *L'Archipel du Goulag* de Soljenitsyne, nous avons vu s'installer durablement l'idée que la période stalinienne fut exclusivement une période de crimes, un trou noir dans le cours de l'histoire, que Staline était le criminel le plus criminel de tous les criminels qu'ait connus l'histoire humaine. C'est pourquoi, de nos jours, on admet pour seule vérité les accusations et révélations sur les tares du stalinisme et sur les défauts de son inspirateur. Quant aux tentatives qui sont faites pour analyser la période et la personnalité de Staline d'une façon tant soit peu objective, elles sont considérées comme des apologies du stalinisme... Et pourtant, je me risquerai à m'écarter de cette orientation accusatrice et critique et je prendrai la défense... non pas de Staline ou du stalinisme, mais de leur analyse objective. L'époque des réactions émotionnelles est révolue. Il est temps de réfléchir à l'essence historique des crimes, à leurs sources, et non plus se contenter de les condamner. Ces crimes sont-ils issus des âmes noires d'une poignée de scélérats, comme une déviation au regard des normes convenables de l'histoire, ou bien sont-ils un exemple édifiant et palpable de ce qui arrive nécessairement dès lors que les idéaux et les rêves les plus radieux de l'humanité débouchent sur une application réelle ? Telle est la question.

En outre, il me paraît que je possède le droit moral de prendre un tel risque. Depuis ma jeunesse, je n'ai jamais nourri de sympathies à l'égard de Staline et du stalinisme. Dès 1939, j'avais publiquement pris position contre le culte de Staline, ce qui me valut d'être exclu des jeunesses communistes et de mon institut, d'être dirigé vers une clinique psychiatrique pour examen, puis conduit à la Loubianka [1]. A la clinique je fus reconnu sain d'esprit, ce qui ne serait pas arrivé dans la période libérale post-stalinienne. Quant aux griffes des organes de la sécurité de l'Etat, j'ai réussi à m'en échapper. Jusqu'au rapport de Khrouchtchev, ma vocation secrète avait été la propagande antistalinienne. Je dois reconnaître que je n'étais pas le

1. L'immeuble du KGB à Moscou (*N. d. T.*).

seul de cette espèce. A l'époque de Khrouchtchev, la critique du stalinisme fut prise en main par les ex-staliniens les plus invétérés, de sorte que mon anti-stalinisme n'eut plus de raison d'être. Je pus alors acquérir un point de vue serein sur cette question, c'est-à-dire sans haine, mais avec mépris.

Ma mère, elle, conserva dans son Evangile, jusqu'à sa mort (en 1969), un portrait de Staline. Elle a vécu toutes les horreurs de la collectivisation, de la guerre et des années d'après-guerre. S'il fallait décrire en détail tout ce qu'elle eut à supporter, les lecteurs occidentaux ne le croiraient pas. Et malgré tout, elle a conservé un portrait de Staline. Pourquoi ? La réponse à cette question donne la clé pour comprendre l'essence du stalinisme. C'est que, en dépit de toutes ses horreurs, le stalinisme fut un authentique pouvoir du peuple, au sens le plus profond (je ne dirais pas le meilleur) de ce terme ; Staline lui-même était un chef authentique-ment populaire. Le pouvoir du peuple n'est pas nécessairement un bien. Les atrocités du stalinisme furent une expression typique du pouvoir du peuple, en cette période donnée. Qu'il y ait eu, en même temps, une oppression du peuple ne contredit pas ce qui précède. Un chef populaire n'est pas nécessaire-ment un sage plein de bonté. Il peut arriver que ce soit une canaille finie. Parfois, les chefs populaires mépri-sent profondément le peuple, car ils savent ce que sont les masses dans la réalité, et non dans les livres et les doctrines. Précisément Staline, et non Lénine, fut un chef populaire, car ce dernier manquait de ces traits abominables qu'on attribue à Staline.

Pour définir l'essence du stalinisme, il faut détermi-ner quels intérêts exprimait Staline, qui donc le suivait. Pourquoi ma mère conservait-elle son portrait ? Elle était paysanne. Avant la collectivisation, notre famille vivait correctement, mais à quel prix ? Un travail harassant de l'aube jusqu'au soir. Et quelles étaient les perspectives qui s'offraient à ses enfants (elle en avait onze !) ? Devenir paysans, artisans dans le meilleur des cas. Et puis il y eut la collectivisation. La ruine des campagnes. La fuite des populations vers les villes. Résultat : dans notre famille, l'un est devenu professeur, un autre directeur d'usine, un autre colonel et trois autres ingénieurs. Des millions d'autres familles connurent des situations semblables. J'évite de porter là-dessus des jugements de valeur. Je veux dire seulement qu'à cette époque le pays connut une promotion sans précédent dans l'histoire de l'humanité, des millions de personnes quittèrent les couches inférieures de la société pour devenir contremaîtres, ingénieurs, instituteurs, médecins, acteurs, officiers, chercheurs, écrivains, etc. Peu importe de savoir si la Russie aurait connu un phénomène similaire sans le stalinisme. Pour les acteurs de ce processus, les choses se sont passées au cours du stalinisme et, leur semblait-il, grâce à lui. Et il est vrai que c'était grâce à lui, à bien des égards. Ces millions de personnes, qui en influencèrent des millions d'autres, furent précisément l'assise et la force de frappe du stalinisme. Bien sûr, il faut compter aussi avec les illusions, et non seulement avec les réussites réelles de certaines catégories. Mais ces illusions ne touchaient pas les fables marxistes (on y croyait peu), mais des choses très simples : on espérait une amélioration des conditions de vie et des rapports humains. Pour moi et pour beaucoup de ceux de mon âge, une couchette individuelle avec des draps propres, trois repas réguliers par jour paraissaient le comble du rêve. Beaucoup d'entre nous ne croyaient pas aux fables marxistes et comprenaient ce qu'était le communisme réel, mais il n'empêche que nous aussi, nous espérions avoir droit à cette couchette et à ces repas. Ces espoirs contrebalançaient notre antipathie à l'égard de la nouvelle société naissante. Que nous le voulions ou non, ils étaient liés au nom de Staline. Pour porter un jugement sur une personne, il faut prendre en compte non seulement ses traits subjectifs mais aussi les images qu'elle laisse dans les esprits. Or l'image de Staline était non seulement et non pas tant celle d'un scélérat, que le symbole du vaste processus que je viens de décrire. Il s'agissait d'une histoire sérieuse et non d'une oppression exercée par une poignée de criminels féroces sur un peuple bon et trompé. Le peuple n'était pas trompé. N'oublions pas que les vagues de terreur les plus massives qu'ait connues la période stalinienne, celles qui firent des millions de victimes parmi les catégories les plus simples, se sont faites avec la participation de millions d'autres gens très simples. Du reste, les mêmes individus jouaient souvent en même temps le rôle de bourreaux et celui de victimes. Cette terreur était aussi le fait d'une activité spontanée de larges masses de la population. Actuellement il est difficile de savoir quelle part fut la plus grande : celle des criminels suprêmes, avec Staline à leur tête, ou bien celle de ces larges masses soi-disant trompées. Pour conclure sur ce chapitre, je vais formuler une autre idée hérétique. Les victimes du stalinisme, ce n'est qu'une moitié de la vérité. L'autre moitié, c'est que les victimes furent des aides

169

et des complices de leurs bourreaux. Les victimes correspondaient à l'époque qui les avait engendrées. Toute l'horreur de l'établissement de la société communiste ne réside pas tant dans la réalité des victimes que dans la genèse, la survie, la sélection d'un type d'homme qui est prêt aux sacrifices et prêt à faire des autres ses victimes. Staline fut l'exemple le plus frappant de cette révolution psychologique. Il me paraît que les purges staliniennes ont fait davantage pour sa divinisation que sa politique opiniâtre visant à baisser de quelques kopecks les prix alimentaires.

Staline fut l'héritier de Lénine, le stalinisme fut l'héritier du léninisme. Sur ce chapitre, les opinions divergent. Les uns disent que Staline fut un disciple fidèle et un continuateur de l'œuvre de Lénine. Pour les autres, Staline a trahi celui-ci. Je crois que les uns et les autres ont raison à leur façon. Mais pour mieux comprendre et juger Staline et le stalinisme, il faut envisager les choses sur un autre plan. Je distingue deux courants dans ce torrent qui déferle sur l'Union Soviétique, par suite de la révolution : un courant historique concret et un courant sociologique général. Dans le premier, des hommes montaient sur des voitures blindées, agitaient leurs mausers, s'emparaient des centraux téléphoniques, fusillaient, caracolaient sabre au clair en criant « hourrah ». C'était là la partie visible des choses. Pendant ce temps, un nouvel enfant (la future société communiste) mûrissait sans bruit, imperceptiblement, dans l'autre courant. Mûrissait de la façon la plus prosaïque : il se créait des bureaux et des fonctions innombrables, l'appareil du pouvoir se développait, se différenciait, plongeant ses tentacules dans toutes les cellules de la société, les

grades étaient attribués, les biens étaient distribués...
Lorsque l'avalanche de l'histoire dramatique disparut,
lorsque la poussière qu'elle avait soulevée retomba, on
comprit quel était l'objet des discours, l'enjeu de
l'action des sabres et des « hourrah ». La nouvelle
société réelle était déjà née, avec son système méticuleux de pouvoir et de direction, et elle poussa sur le
devant de la scène ses dirigeants authentiques. Lénine
et sa garde représentaient ainsi le premier courant de
ce processus, tandis que Staline et ses complices
étaient des représentants du second. Dieu sait pourquoi, lorsqu'on parle de Lénine, les bienséances exigent qu'on emploie le terme de « garde », tandis que
Staline n'a droit qu'à des « complices ». Le nom de
Lénine est lié à la période prérévolutionnaire du parti
et à celle où le pays réussit à survivre physiquement,
tout en portant l'embryon de la nouvelle société en son
sein. Le nom de Staline est lié à l'instauration de la
nouvelle société, à la transformation du faible
embryon en une créature mûre et puissante. Je
souligne qu'elle est puissante, ce qui ne signifie pas
nécessairement qu'elle soit bonne. Comme on le sait,
un crocodile est fort, mais il présente peu d'agrément,
si ce n'est l'utilisation de sa peau. Lénine est donc la
préhistoire du communisme réel. Son histoire réelle,
son histoire proprement dite commence avec Staline.
C'est là (et non dans ses défauts personnels) que réside
l'explication de la victoire de Staline et de ses complices (non de sa garde, bien entendu), sur Trotski,
Zinoviev, Boukharine et autres bavards de la garde
léniniste (cela va de soi). Il ne s'agit pas de l'intelligence des uns (on dit que Staline fut bien plus sot que
Trotski) ou la sottise des autres (on dit que Trotski fut

bien plus intelligent que Staline), mais d'un concours de circonstances. Il s'agit de savoir quelles furent les forces sociales qui s'avancèrent sur la scène de l'histoire et s'emparèrent des millions de cellules de la vie d'une énorme société. C'est le stalinisme, non le léninisme, qui est la manifestation la plus parfaite de l'essence du communisme. Le léninisme n'est qu'une propédeutique au stalinisme, son embryon ou, plus exactement, il fut seulement le lieu où cet embryon a mûri. Il connut le sort qu'il avait historiquement mérité. Je dois dire d'ailleurs que j'ai eu récemment l'occasion de relire certaines œuvres des adversaires de Staline sus-nommés. Je n'ai remarqué chez eux aucune supériorité intellectuelle sur Staline. Je ne veux pas dire par là que Staline était intelligent, mais que ses adversaires n'étaient guère plus intelligents que lui.

Puisque nous parlons d'intelligence, il serait opportun de dire ici quelques mots sur Staline en tant que théoricien. Selon une opinion unanime, Staline aurait soi-disant vulgarisé le marxisme. Mais il faut se poser la question suivante : qu'est-ce que les philosophes soviétiques ont apporté de neuf au marxisme depuis la mort de Staline, si l'on fait abstraction de leur logorrhée effrénée et de quelques gadgets ? Si l'on répond à cette question sans parti pris, l'on aura, peut-être, quelque doute sur l'opportunité du terme « vulgarisation ». Certes, il y a bien eu ici vulgarisation de certaines idées des fondateurs du marxisme. Mais n'y a-t-il eu que cela ? Et était-ce bien réellement une vulgarisation ? En effet, il y a vulgarisation, lorsque les sources premières constituent des sommets (ou des abîmes ?) de sagesse. Mais si l'on considère les sources de Staline, attentivement, en s'armant de critères scientifiquement rigoureux, on découvrira qu'il n'y avait rien à vulgariser. Il y avait à décaper tout un fatras verbal. Donner à quelques points une allure plus digeste, les dire dans une langue humaine normale. Mais vulgariser ?!... J'ignore si Staline fut l'auteur des œuvres qu'il s'attribuait. Je sais seulement qu'elles furent la souris vivante dont la montagne marxiste avait accouché. Pour les besoins de la grande révolution idéologique qui se déroulait dans le pays, on ne pouvait tout simplement pas en tirer davantage. Or, en leur qualité de textes idéologiques, destinés à d'énormes masses de la population dotées d'un niveau culturel très bas, les œuvres staliniennes furent les meilleures de tout ce qui a été écrit en matière de marxisme. L'œuvre *Matérialisme dialectique et matérialisme historique,* attribuée à Staline, fut en fait le sommet du marxisme en tant qu'idéologie. En réalité, à la base de tout le travail idéologique qui se déroule en Union Soviétique, nous retrouvons toujours les fruits de la révolution idéologique réalisée sous le nom de Staline. Pour pénétrer les vérités les plus profondes de la doctrine marxiste, il faut lire les œuvres de Staline. Il est absurde et illusoire de croire que le marxisme recèlerait encore des sommets intellectuels et des finesses qui auraient été dissimulés ou bien déformés par les vulgarisateurs ; qu'il y aurait un je ne sais quel marxisme authentique n'ayant rien à voir avec la sinistre idéologie étatique de la société communiste. Certes, les œuvres des fondateurs du marxisme contiennent certains points qui peuvent être interprétés comme des phénomènes de haute culture. Mais ces « points » ne sont pas un produit spécifique du marxisme. Ils sont empruntés à ses prédécesseurs et à ses contemporains ; du reste ces emprunts prennent essentiellement la forme de « pogroms ». Les « pogroms » que Marx, Engels, Lénine font subir à leurs adversaires dans leurs œuvres servirent en quelque sorte de préparation aux « pogroms » réels organisés par Staline, dans la société communiste qui avait remporté la victoire sous le drapeau idéologique du marxisme. Staline fut le marxiste le plus authentique et le plus fidèle. Lorsqu'on lui attribue le rôle du diable dans la cohorte des anges marxistes, on est loin de blanchir je ne sais quel marxisme idéal des taches noires du stalinisme : on s'efforce seulement de cacher la réalité profonde du marxisme que Staline et ses compagnons ont mise à nu avec une perfection et une clarté stupéfiantes.

La période stalinienne vit se former tous les organes du corps social communiste ; leurs fonctions se sont cristallisées, tous les rituels et les modèles de comportement furent élaborés. Bien sûr, la mort de Staline fut suivie de quelques changements. Par exemple, Khrouchtchev se lança dans des bavardages terrifiants, très étrangers à Staline, et entreprit de se propulser dans le monde entier. Malgré tout, l'image de Staline pesait sur son esprit. Brejnev, lui, a la prétention d'être un second Lénine. Par ses bavardages et son goût pour les voyages, il a surpassé Khrouchtchev, bien que, en tant qu'orateur, le modèle stalinien lui conviendrait davantage. Mais point n'est besoin d'être psychanalyste pour remarquer que Brejnev se trouve, depuis son jeune âge, sous l'emprise de l'image de Staline. Certes, Khrouchtchev osa révéler les horreurs du stalinisme et Brejnev n'ose pas entreprendre une terreur massive contre les dissidents dont on n'avait jamais entendu parler à l'époque stalinienne. Mais sont-ce là des traits particuliers à ces deux personnages ? Les tendances antistaliniennes étaient apparues dans le pays et le parti bien avant le rapport Khrouchtchev, qui fut davantage le résultat d'une histoire antérieure que le commencement d'une nouvelle période. Il fut un jalon dans la nouvelle époque, non un point de départ, une cause. Les causes véritables sont restées cachées. Même les dissidents ne voulaient pas en parler. Quant au « libéralisme » brejnevien, il ne s'agit pas non plus d'un trait qui lui serait personnel. C'est une conquête solide des couches dirigeantes de la société soviétique qui ont dû attendre la mort de Staline (c'est-à-dire la fin de la période stalinienne) pour se sentir en sécurité.

En Union Soviétique, il est officiellement admis qu'à l'époque stalinienne, les normes du parti et de l'Etat étaient violées, mais qu'à présent, ces pratiques sont révolues. Cette affirmation a le don de provoquer des critiques. « C'est faux ! » profèrent des voix çà et là. « Lesdites normes continuent à être violées ! » Selon elles, les misères du pays sont dues à la violation des normes. Mais dans ce cas précis, le point de vue officiel aussi bien que ses critiques sont dénués de sens. Actuellement, si « ça va mal », ce n'est pas parce que les normes sont violées, mais bien au contraire parce qu'elles sont respectées. Il faut considérer les normes en elles-mêmes et non leur respect ou leur violation. Or l'époque stalinienne fut celle de l'invention et de l'instauration de ces normes. On s'imagine qu'avant l'arrivée de Staline et de sa bande, il existait des normes qu'il aurait violées. Mais il n'y avait pas encore de normes. Elles naissaient et s'affirmaient dans ces processus effroyables qui furent interprétés plus tard comme une violation des normes. On ne pouvait violer ce qui n'existait pas encore. En fait, la genèse d'une société possède ses propres normes auxquelles celles de la nouvelle société se conforment nécessairement. Toute la période stalinienne y répondait très exactement.

Actuellement, beaucoup craignent un retour au stalinisme en Union Soviétique, qui viendrait avec une réhabilitation imminente de Staline. Ces craintes sont vaines. Si, même, réhabilitation il y a, elle ne sera que partielle. Les chefs communistes actuels ont, eux aussi, si l'on peut dire, pris du poil de la bête (de la moustache !) et ne seraient pas fâchés d'être sacrés les plus grands génies de tous les temps. Ils n'ont donc pas du tout intérêt à faire ressusciter des concurrents venant d'un passé effrayant. Quant aux larges masses de la population, elles sont à présent privées de pouvoir sur leur prochain, ce dont elles disposaient sous Staline. Dieu merci, l'époque d'un pouvoir populaire effréné est révolue. Or le stalinisme est inconcevable sans une participation spontanée des masses. Je ne veux pas dire par là qu'il n'y aura aucune aggravation en Union Soviétique. Au contraire, elle est très possible. Mais toute aggravation n'est pas nécessairement un retour en arrière. Il peut y avoir aggravation dans le cadre même de la marche irrésistible de la société soviétique vers les idéaux radieux du communisme. Les ignominies vers lesquelles s'oriente le peuple soviétique seront un nouvel apport créateur dans l'histoire glorieuse du communisme.

Pour caractériser une personnalité, il faut tenir compte de tout ce qui a trait à elle d'une façon ou d'une autre. Les rumeurs, les ragots, les légendes. Et même les histoires drôles. Or voilà qui est remarquable : Lénine a donné lieu à toute une série d'histoires drôles, où il tient un rôle comique. Les histoires drôles sur Staline furent nombreuses. Mais elles ne lui offraient jamais une allure comique. Dieu sait pourquoi, le personnage de Staline ne se prête pas aux sarcasmes. Khrouchtchev est comique. Brejnev aussi. Staline, non. Pourtant, il semblerait qu'actuellement, il n'y ait plus rien à craindre : on peut rire tant qu'on veut ! Eh bien, non. Selon une rumeur, Staline aurait été assassiné. Je n'y crois guère. Le plus probable, c'est que Staline était mort de mort naturelle et que ses compagnons avaient tout simplement peur d'entrer chez lui. Ils étaient tous des nullités, des poltrons et des canailles. Lui-même, sur un tel fond, apparaissait comme une nullité et une canaille hors du commun. Mais il aspirait à bâtir un paradis communiste sur terre et à façonner tous les hommes dans ce but. Si ces projets ont donné lieu à des horreurs repoussantes, ce sont là des tours de l'histoire, qui échappent à tout contrôle, et non le fruit des noirs desseins d'un scélérat. La scélératesse cohabite parfaitement avec les idéaux radieux. Si ces derniers sont bien payés, ils n'en deviennent que plus radieux encore. Staline et sa bande (et non sa garde, évidemment) furent des scélérats, mais d'une espèce particulière : leur scélératesse était d'ordre social et non individuel. Elle suintait et elle suinte encore de tous les pores de la société soviétique. Elle découle du cours même de la vie la plus ordinaire. Elle est le fruit légitime des idéaux radieux. Bref, Staline correspondait parfaitement au processus historique qui l'avait engendré. Ce processus, Staline ne lui avait pas donné naissance, mais il le marqua de son empreinte, lui prêtant son nom et sa psychologie. Là résidaient sa force et sa grandeur. Il n'est pas impossible que la jeunesse éprouve quelque jour une nostalgie de l'époque stalinienne. Le peuple (celui-là même qui aurait été soi-disant trompé et opprimé) en est déjà nostalgique et célèbre la mention du nom de Staline par des applaudissements. Mais il est peu probable que les dirigeants actuels et les couches privilégiées du pays permettent la venue d'un autre Staline qui serait une nouvelle menace pour leur bien-être et leur sécurité.

Munich, 22 octobre 1979.

Moscou,
ville communiste modèle

Moscou... Que pourrait-on bien en dire ? Parfois,
les bras vous en tombent : on se dit qu'elle ne vaut pas
la peine qu'on en parle. Parfois, c'est l'inverse ; l'envie
vous prend d'en parler longuement, avec beaucoup de
sentiment : les Occidents devraient connaître la vraie
Moscou, et non la Moscou touristique, la Moscou de
façade, de propagande. La connaître non pas pour
satisfaire leur curiosité ou pour s'instruire, mais pour
la sauvegarde de la vie elle-même, car loin de représenter le salut, Moscou constitue un danger funeste.

Pour donner une image assez complète et exacte de
Moscou, il faudrait évoquer tout d'abord le mode de
vie communiste réel qui, dans cette ville, a atteint des
formes « pures » et parfaitement développées. Sans
quoi toute compréhension tant soit peu objective et
juste serait impossible : en fait, Moscou ne connaît pas
autre chose que ce mode de vie. A Moscou, même les
prostituées (qui ne sont pas moins nombreuses qu'à
Paris), les drogués (car il y en a), les filous, les voyous
et les ivrognes sont des porteurs et des conducteurs du
communisme réel (à la différence du communisme
mythique, marxien). Je ne parle même pas de l'aspect

179

extérieur de la ville : les autorités, les architectes, les décorateurs et d'autres citoyens n'ont de cesse que Moscou ne devienne une ville communiste modèle.

Mais il serait rigoureusement impossible d'exposer dans les limites d'un article un tableau du communisme en tant que société réelle. Je me bornerai donc à une esquisse psychologique de Moscou, envisagée sous cet angle.

Autrefois on disait de Moscou que c'était un gros village. Actuellement, cette vision serait une grave erreur. De nos jours, Moscou n'est plus un village, fût-il très grand, mais un super-village. Non pas parce que la population et le nombre de maisons se sont multipliés, mais parce qu'il y a eu un changement qualitatif dans sa nature sociale. Pourtant ce saut qualitatif n'a pas transformé le village en ville, car en tout état de cause un village reste toujours un village, si grand qu'il soit. Le bond dont je parle a fait de Moscou le centre, la source et le symbole du provincialisme historique. Le terme de « ville » ne peut s'y appliquer qu'au sens d'une grande concentration de personnes, de maisons, d'institutions. Quand, après la révolution, les bolcheviks transférèrent la capitale du nouvel empire soviétique à Moscou (au lieu de Petrograd), ils avaient pour souci de sauver leur peau. Mais ce faisant, ils accomplirent sans le savoir une œuvre d'une grande importance historique : ils légalisèrent de la sorte une victoire définitive sur les aspirations occidentalistes de la Russie. Mais une victoire qui ne profitait pas aux tendances slavophiles, lesquelles traînent actuellement une existence misérable en leur qualité de moyen de fortune du pouvoir soviétique (KGB et Comité central du parti), employé au besoin (généralement, ce besoin ne se fait guère sentir) et dans des limites raisonnables (c'est-à-dire, le plus souvent, idiotes). C'était une victoire du provincialisme sur la capitale. L'ancienne Moscou n'a servi que de tremplin commode pour la nouvelle. Processus exemplaire du communisme en gestation, la nouvelle Moscou a littéralement rasé l'ancienne. La concentration humaine qui a vu le jour n'avait pas grand-chose de commun avec la vieille ville, tant sur le plan architectural que du point de vue de la composition et la psychologie sociale des habitants. Et de son rôle historique, bien sûr.

Moscou, c'est un provincialisme militant, une médiocrité satisfaite et agressive, un ennui abrutissant, une grisaille qui parvient à digérer tous les autres coloris. Ces remarques ne se rapportent pas seulement à l'aspect extérieur de la ville, mais à tout son mode de vie. Tout y est gris et si morose que la ville en devient intéressante. Il s'agit d'un intérêt très particulier, purement négatif, corrodant, qui ôte à chacun toute volonté et tout désir d'action. Mais les gens y sont habitués dès leur naissance et considèrent tout ceci comme leur élément naturel ; ils ne l'échangeraient contre rien au monde, car ils prennent leur vacuité morale et leur vie misérable pour un signe de leur supériorité sur les Occidentaux. A Moscou, l'absence de tout ce qui peut faire de l'homme un individu, atteint des proportions monstrueuses et ce manque a fini par devenir un trait palpable et positif qu'on entretient soigneusement et qui progresse constamment. A Moscou, la médiocrité n'est pas seulement absence de talent, c'est un talent arrogant qui consiste à étouffer le talent véritable. A Moscou, la sottise n'est

181

pas seulement absence d'intelligence, c'est une sorte d'intelligence particulière qui tient lieu d'intelligence authentique et qui la réduit à néant. Il en est ainsi de toute chose. Moscou est un tissu social vivant et très actif, mais c'est un tissu cancéreux. Le cynisme, la haine, la bassesse, l'oppression y pénètrent toutes les sphères de l'existence humaine et constituent la toile de fond de cette comédie effrayante qui est jouée par des dilettantes.

Je suis né dans un petit village russe situé loin de Moscou. Mon arrivée à la capitale date de 1933. Peut-être, dans mon cas personnel, cette émigration fut-elle un effet de hasard. Mais tel ne fut pas le cas de millions de femmes et d'hommes de cette époque. La politique géniale de Lénine et Staline conduisit, au début des années trente, à une ruine de la campagne sans précédent dans l'histoire de la Russie. Les moujiks russes qui avaient réchappé à cette politique se ruèrent vers les villes en employant tous les moyens possibles et imaginables. Beaucoup prirent le chemin de Leningrad, par habitude, mais la majorité afflua sur Moscou. Il était plus facile de s'y installer. En outre, par son esprit et sa culture, Moscou était plus proche d'eux que Saint-Petersbourg, cette ville hautaine de fonctionnaires. Ce mouvement social coïncida avec la tendance générale provinciale de la révolution russe, de sorte que les nouveaux dirigeants du pays disposèrent d'armes aussi puissantes que la patience infinie des Russes, le bas niveau de culture matérielle et un matériau humain bon marché qui était prêt à exécuter toutes les volontés de ses chefs. Certes, les gens avaient déjà appris à craindre le nouveau pouvoir. Mais leur docilité s'explique davantage encore par un autre facteur, qui est la peur d'un retour au passé. Si on ne discerne pas cette vérité toute simple, on ne pourra comprendre les causes du succès de la révolution russe et de la solidité du régime qu'elle a engendré. Le peuple soviétique, ou tout au moins russe, consentirait aux pires difficultés, pourvu qu'on ne le ramène pas en arrière. S'il avait à choisir entre de nouvelles difficultés futures et une amélioration de son sort par un retour au passé, il préférerait la première solution. Il serait insensé d'espérer que le peuple russe cesse de jouer les dupes, se débarrasse du joug soviétique et revienne à sa vie paisible prérévolutionnaire, laquelle, soit dit en passant, est fortement idéalisée. Les mouvements sociaux complexes sont des processus irréversibles. Et si tant est que l'on désire revenir en arrière, le mieux à faire sera d'avancer le plus vite possible. C'est bien ce que fait Moscou.

Lorsque je m'installai à Moscou, on avait déjà démoli l'église du Saint-Sauveur. On projetait de bâtir à sa place le Palais des Soviets qui devait être la plus haute construction du monde. Même des paysans analphabètes comprenaient fort bien qu'il aurait été bien moins onéreux et difficile de construire le Palais en un autre endroit — ce n'est pas le terrain qui manquait. Mais les autorités s'en tenaient aux solutions les plus compliquées et les plus coûteuses. Le résultat de ce grand dessein (Dieu seul sait ce qu'il coûta !), c'est qu'on creusa une piscine, autrement dit un grand trou. Très symbolique ! A Moscou, tout est symbolique et paradoxal. On arracha tous les arbres du boulevard Sadovaïa. On entreprit de construire une exposition agricole grandiose. A l'époque, le pays était plongé dans la famine. L'état de l'agriculture était effroyable. Et voilà qu'on construisait une exposition colossale, sans précédent dans le monde entier, qui devait montrer les prétendus succès éclatants et la vie bienheureuse des paysans soviétiques. Le coût de son édification excéda tous les crédits de l'agriculture. Comment expliquer un phénomène pareil? Les uns croient qu'à l'époque, cette exposition était un joli conte de fées, or les contes étaient plus importants que la réalité. Il est vrai que ce conte fut un chef-d'œuvre de mauvais goût. Mais n'oubliez pas que la province a ses goûts. Toute la ville de Moscou était et est encore reconstruite selon le même crétinisme esthétique. D'autres estiment que construire une exposition était tout de même plus facile que de relever l'agriculture. Cette dernière tâche n'a toujours pas été réalisée, tandis que l'exposition a bel et bien été construite. D'autres encore considèrent que l'effet extérieur produit par l'exposition était supérieur à celui qu'aurait donné une amélioration de l'agriculture. Un progrès infime de l'économie rurale serait passé inaperçu, tandis que l'exposition a été remarquée par tout le monde. On aurait beau améliorer l'agriculture, il y aurait toujours du retard et de la misère. Si on n'a pas un traître sou à donner au peuple, il faut lui en promettre un million. L'exposition aurait tenu lieu d'une promesse de ce genre. Et puis on comptait qu'un grand nombre d'imbéciles croirait à notre prospérité après avoir visité l'exposition et non des villages réels. Certes ces trois points de vue contiennent une part de vérité. Mais l'entreprise relevait davantage d'un processus élémentaire incontrôlable que de mauvaises (ou bonnes?) intentions ou d'un calcul rationnel. C'est

pourquoi toutes les explications faites en termes de
buts et de causes sont dénuées de sens.

L'exposition agricole était un phénomène caractéristique de Moscou. Actuellement, elle s'intitule EREP : Exposition des Réalisations de l'Economie du Peuple. L'abréviation n'est pas non plus un phénomène fortuit : elle est une part intégrante de la création linguistique soviétique. Si vous vous promenez à Moscou, admirez les enseignes de ses innombrables bureaux ! Dieu, qu'ils sont donc nombreux à Moscou ! Vous trouverez là tous les bureaux que vous voulez ! Là encore, le trait est spécifique, car Moscou s'est créée comme une gigantesque concentration de bureaux, comme les bureaux des bureaux, comme les bureaux centraux de toute la société soviétique. Si l'on veut être précis, Moscou n'est pas une capitale, mais précisément des bureaux. Le provincialisme moscovite est non seulement un provincialisme rural, c'est actuellement surtout un provincialisme de bureaux. L'employé de bureau y règne en maître ; sa psychologie, son intellect, son comportement et ses goûts déteignent sur le reste de la population qui ne peut que l'imiter. Beaucoup de Moscovites ont beau être des ouvriers, la ville n'en reste pas moins un royaume d'employés de bureau, de fonctionnaires.

Au centre de l'Exposition vous ne trouverez ni un épi de blé, ni même un épi de maïs, mais un vaisseau cosmique. Car aujourd'hui, le pays a autre chose à faire que de s'occuper d'agriculture, il doit résoudre des tâches plus nobles, comme la conquête du cosmos ! C'est que les hommes ne vont tout de même pas rester éternellement sur terre ! Du reste, je ne serais nullement étonné si en effet les gens jetaient la Terre aux

185

ordures et s'envolaient à la conquête d'une planète habitable. Créer spécialement des difficultés pour avoir à les surmonter par la suite, voilà qui est bien dans le style de la société nouvelle. Non loin du vaisseau cosmique, on remarquera une immense statue d'argile représentant un taureau et peinte couleur bronze ; c'est là un vestige de la première époque, agricole, de l'exposition. Selon la rumeur, le taureau était à l'origine dépourvu de ses organes sexuels : le Parti et le Gouvernement veillaient à la moralité du peuple. Derrière le taureau, on trouve un pavillon qui en principe devrait contenir des vaches. Lorsque, avant mon départ, je visitai l'exposition, ce pavillon était orné d'un écriteau portant l'inscription suivante : « Les vaches sont fermées pour cause de réparations ». Lorsque vous aurez contemplé le taureau et que vous vous serez retournés vers le vaisseau cosmique, vous vous apercevrez qu'il n'a plus rien de cosmique. On sent qu'il ne vise pas tant la conquête du cosmos que celle de notre planète natale. Pourquoi une telle conquête si nous ne sommes même pas capables de mettre nos terres en valeur ? Eh bien, ce serait au moins un moyen de faire vivre le monde entier au rythme morose et médiocre de Moscou.

Actuellement, Moscou se prépare aux Jeux Olympiques. L'événement s'apparente à l'Exposition agricole. Car enfin, pourquoi le pays s'est-il chargé d'un tel fardeau, alors qu'il est au bord de la catastrophe économique ? Profit économique ? Non, quels que soient les calculs des économistes, toute cette entreprise engouffrera cinq fois plus de fonds qu'elle n'en rapportera. Effet politique ? Pour quelle raison ? Selon moi, les dirigeants du pays souhaiteraient au fond d'eux-mêmes que les jeux ne puissent avoir lieu, mais il n'est plus en leur pouvoir d'exaucer ce désir, de même qu'ils n'ont plus le pouvoir d'arrêter l'avalanche destructrice et créatrice de l'histoire. Ils en sont les esclaves. En raison des travaux rendus nécessaires par les Jeux Olympiques, la construction des logements a été réduite (sinon interrompue). Des masses de monde ont été déplacées de leurs lieux de travail. Quel est le sens de tout cela? Inutile d'en chercher un. Une tumeur cancéreuse n'a pas de but en soi.

Moscou a été créée comme une vitrine de la nouvelle société communiste. Avec force colonnes, frontons, fioritures de toutes sortes. L'image de Saint-Pétersbourg, cette ville de nobles qu'ils avaient rejetée, était toujours présente dans l'inconscient des maîtres de la nouvelle capitale. On bâtissait aussi dans un style moderne (constructiviste). Mais ces quelques architectures ne provoquaient que des rires. Le bruit courait que leurs auteurs étaient des ennemis du peuple et qu'ils avaient subi le châtiment qu'ils méritaient. En même temps, on rasait soigneusement la vieille Moscou, autrement dit la Moscou russe. Les églises étaient démolies sans pitié. On rectifiait les ruelles sinueuses. On canalisait les ruisseaux dans des buses. On rasait les buttes. La nouvelle Moscou était conçue comme une surface idéalement plate, construite de telle façon qu'il est difficile de croire aujourd'hui au sérieux des planificateurs. On rejeta le projet de Le Corbusier qui proposait de bâtir la ville nouvelle dans la zone sud-ouest de la capitale et de conserver la ville ancienne comme un monument historique, en la débarrassant des bâtiments qui ne présentaient pas de valeur historique. Puis Moscou s'orienta dans cette direction, mais on était loin des projets de Le Corbusier : les travaux se faisaient selon les goûts des académiciens de l'architecture soviétique et des fonctionnaires du parti. Aujourd'hui, on remet en circulation des idées architecturales occidentales qui jadis avaient été vilipendées, mais elles sont reprises avec un grand retard, sous des formes très médiocres et primitives, et elles ont à subir des correctifs spécifiquement soviétiques.

Lorsque j'étais étudiant (c'était déjà après la guerre), on entreprit de démolir le mur de Kitaï-gorod et le vieux quartier de Zariadié. Je travaillais alors comme terrassier à des fouilles archéologiques. Nous mettions à jour de misérables vestiges de l'histoire russe, tandis que sous nos yeux on rasait de remarquables monuments de cette même histoire. Sur l'emplacement du quartier de Zariadié, on a bâti le hideux hôtel « Rossia ». On l'a fait, malgré d'innombrables protestations. Sur de puissantes fondations qui devaient supporter en principe une centaine d'étages, seuls une vingtaine d'étages tiennent péniblement. Encore un symbole. L'architecte en chef de Moscou colla son œuvre dans le Kremlin, alors qu'il disposait de tout le territoire qu'il voulait : il n'avait qu'à décider. Encore un symbole : un fonctionnaire sans talent pour l'architecture s'efforce de se serrer contre les grandes œuvres du passé. Bien que l'agencement des bâtiments gouvernementaux du Kremlin soit extrêmement malcommode du point de vue de l'efficacité, le pouvoir s'accroche au Kremlin comme à un symbole. Ils veulent faire figure de gardiens et de représentants légitimes de la Russie, qu'ils ont en fait détruite en tant que nation et dont ils craignent une renaissance comme la peste. La Russie est la seule des républiques soviétiques à ne pas avoir son Académie des Sciences ni même son Comité central du parti, au niveau de la république.

Au cours de la période soviétique, Moscou a cessé d'être un phénomène spécifique à la nation russe. Des représentants des multiples nationalités du pays se sont emparés d'elle, cherchant à occuper les positions les plus commodes et les plus lucratives. A cela s'ajoute l'énorme masse des passagers de transit. Ils affluent à Moscou pour affaires, pour acheter des produits alimentaires, des vêtements, de la vaisselle, des meubles et autres marchandises, ainsi que pour se distraire. Ils sont devenus une constante dans la vie de la capitale. Et enfin, il y a les étrangers, qui sont assez nombreux à Moscou et dont l'influence sur le style de vie des Moscovites est très sensible. La population russe a beau être en majorité, elle a subi l'influence des Juifs, des Géorgiens, des Arméniens, des Ukrainiens et d'autres, bien plus qu'elle ne les a influencés. Ceci s'explique par l'absence de solidarité nationale des Russes et une politique secrètement anti-russe du pouvoir, qui a conduit, dès les débuts du régime, à ce que la population russe est devenue la plus pauvre, la plus malheureuse, la plus atomisée du pays. A Moscou, les Russes n'ont pas assimilé les autres nationalités, ils ont formé avec elles une sorte d'entité dénationalisée, celle des Soviétiques.

La Russie n'a jamais été une nation, en ce sens qu'elle ne s'est pas constituée au terme de la croissance d'un seul peuple ou de l'assimilation de plusieurs peuples par un seul, mais comme un conglomérat (volontaire ou forcé) d'un certain nombre de peuples qui ne s'assimilaient pas. La Russie a toujours été un

189

empire. La révolution a coupé court aux surgeons nationaux et frayé la voie au principe impérial. Moscou devint son incarnation idéale. Moscou n'est pas un conglomérat cosmopolite. L'appartenance nationale y est célébrée, même si c'est de façon hypocrite. Moscou est une entité impériale. Mais l'empire qu'elle symbolise est très particulier : le peuple hégémonique y est en même temps le plus opprimé, car il en est le socle et le corps inerte. Lorsqu'on entend dire qu'en Union Soviétique, les Russes opprimeraient les autres nations, on a plutôt envie de rire. Comparez le niveau de vie de la population russe avec ceux des autres et vous verrez vous-mêmes à quel point ces idées sont fausses. Ce qui est vrai, c'est que le pouvoir soviétique s'appuie sur la population russe, l'utilise et s'efforce de standardiser encore davantage la vie du pays, pourtant déjà si uniforme. Mais c'est là la logique du système et non je ne sais quel nationalisme russe. Actuellement, il existe bien une tendance visant à faire renaître celui-ci, en créant des entraves aux Juifs et en les expulsant (sous la forme d'une émigration volontaire). Pourtant, même s'il ne restait plus à Moscou un seul Juif, un seul Ukrainien, un seul Géorgien, un seul Tatare, etc., la ville n'en deviendrait pas russe pour autant. C'est en partie pour cette raison que j'ai quitté Moscou sans grand regret et que je n'éprouve guère de nostalgie pour elle, bien que j'y aie vécu pendant quarante-cinq ans. Chose curieuse, beaucoup d'autres émigrants actuels ressentent à peu près la même chose que moi. Pourquoi ? Parce que la dernière émigration n'est pas russe, elle est moscovite, c'est une émigration qui a subi l'influence de Moscou d'une façon ou d'une autre.

Seule, la première vague d'émigration était russe. La seconde fut une émigration fortuite ou anti-soviétique. La troisième, je le répète, était moscovite, c'est-à-dire soviétique. Même au cas où il se livre à des activités anti-soviétiques, l'émigrant moscovite se comporte comme si les autorités soviétiques lui en avaient donné la mission. C'est un homme foncièrement soviétique. Peut-être même plus soviétique que ses compatriotes moscovites.

Presque toutes les personnes que j'ai pu rencontrer dans la période d'avant-guerre vivaient dans un besoin proche de la misère. Peu d'entre eux étaient satisfaits par ce qu'ils voyaient. Actuellement aussi, le mécontentement est un des traits fondamentaux des Soviétiques. Autrefois on dissimulait son mécontentement. De nos jours il arrive même qu'on l'affiche par bravade. Mais tout le monde acceptait et accepte toujours le mode de vie existant. S'agit-il d'un espoir en un avenir meilleur ? J'en doute. Une croyance aux belles promesses du communisme ? Tout le monde en rit. Alors ? L'explication est malaisée. Il y a là un entrecroisement de « lignes » historiques si diverses et si nombreuses qu'elle est même impossible. Je crois malgré tout que ce qui a joué un rôle décisif, c'est ce torrent irrésistible qui a entraîné toutes les vies dans son sillage. A Moscou, c'était un ouragan. Généralement, ces phénomènes de psychologie de masse échappent aux historiens qui les prennent pour des éléments secondaires, ne laissant aucune trace visible. En fait, leur rôle est immense. Je me rappelle qu'à la fin de la guerre, beaucoup d'entre nous étaient mécontents de la voir se terminer si tôt. Nous aurions voulu traverser toute l'Europe, jusqu'à l'océan. Pourquoi ? A l'époque, nous ne le savions pas nous-mêmes. Nous n'étions que des parcelles de cet ouragan historique que nous avions intériorisé. Nous sentions que pour nous, un retour au bercail signifierait notre chute dans ce bourbier morose du provincialisme, que nous voyions déjà nettement poindre à l'horizon. Bien sûr, nous ne comprenions pas que l'ouragan d'avant-guerre et de la guerre emportait toute la société vers ce bourbier, que cet ouragan n'était pas une ascension, mais une chute. Toutes les tentatives des dirigeants post-staliniens pour sauvegarder une illusion de vie frénétique ont capoté, car on ne pouvait guère tomber plus bas. Toutes les possibilités de chute, qui naguère étaient perçues comme des ascensions, étaient épuisées. L'ivresse générale était passée. C'était l'heure des réveils douloureux. Mais non de la contestation. Au cours de cette période, on découvrit maints avantages à la vie en bourbier. D'autant que l'homme nouveau était déjà sélectionné et qu'il était prêt à la vie en bourbier.

Lorsqu'on parle de Moscou, on n'emploie guère, pour des raisons obscures, le terme « aimer ». On peut aimer Leningrad, Kiev, Tbilissi... Par contre Moscou... Pourquoi l'aimer ? Les murailles de « l'antique Kremlin » ? C'est un jouet pour les touristes. Et encore une fois un symbole. Promenez-vous dans les rues de Moscou ! Vous ne verrez que des maisons grises et moroses. Rien qui attire le regard. Presque aucune histoire : elle a été gommée et falsifiée. Des gargotes et des cafés qui soulèvent le cœur. Encore sont-ils rares. Encore faut-il subir les files d'attente, la crasse, la muflerie. Des magasins de « produits industriels », remplis de toutes sortes de saletés. Le terme « produits industriels » est typiquement soviétique. Parfums, eau de Cologne, lingerie féminine, moulins à café, brosses à dents, tout cela rentre dans cette catégorie. Des magasins alimentaires indigents. La queue. La cohue. La goujaterie. Aucun endroit pour passer quelques moments à bavarder avec des amis. Cette existence que les Moscovites prennent pour un signe de leur supériorité morale sur l'Occident se déroule pour l'essentiel dans des appartements exigus et misérables. Leur existence n'en est pas moins un progrès. Jadis on habitait les « communaux ». Un Occidental aurait du mal à s'imaginer ce que sont ces appartements communautaires de Moscou. Figurez-vous un appartement de cinq à sept pièces. Sans aucun confort. Des canalisations toujours défectueuses. Dans chaque pièce, une famille, sinon deux. Un mètre carré par personne, parfois moins.

On n'aime pas Moscou, on ne la hait pas non plus. Beaucoup cherchent à y habiter et la majorité de ceux qui y vivent ne l'échangeraient contre aucune autre ville. Le rapport à Moscou est d'ordre rationnel : on la préfère. Cette préférence ne signifie pas qu'on dispose d'une liberté de choix. Les Soviétiques l'ignorent. Les quelques personnes qui peuvent choisir ne jettent pas leur dévolu sur Moscou pour des raisons sentimentales mais pour d'autres considérations. La ville offre davantage de possibilités pour réussir et s'arranger une vie confortable. Les carrières y sont innombrables. L'approvisionnement de Moscou est meilleur que dans beaucoup d'autres villes. La capitale offre des formes d'activité qu'on ne trouvera nulle part ailleurs. Elle est plus proche de l'Occident, la culture y est plus riche. On y parle plus librement. On peut s'y permet-

193

tre des choses qui sont prescrites ailleurs. Ainsi, à une certaine époque, la revue *Novy mir* était-elle interdite dans l'armée soviétique, tandis qu'à une centaine de kilomètres de Moscou, il n'était guère conseillé de citer la revue « Problèmes de philosophie » qui brille par sa flagornerie à l'égard du parti. Moscou offre un vaste champ d'activité pour les spéculateurs et les aigrefins de toutes sortes. En un mot, Moscou apparaît presque comme un Occident pour une très grande masse de la population. Ce qui vous laisse imaginer l'existence de ce pays qui est censé frayer la voie de l'humanité vers un avenir heureux !

Tout le monde ne voit pas toujours Moscou telle qu'elle apparaît dans ma description. Moscou, ce sont des millions de personnes. Combien y a-t-il, parmi eux, de fonctionnaires florissants, combien de ministres et de footballeurs, de généraux et d'académiciens, de directeurs, de présidents, de spéculateurs, d'acteurs, de peintres, d'écrivains et de toute la gent des bureaux ainsi que celle qui brûle sa vie ! Combien de personnes se déversent tous les ans dans Moscou, en dépit de tous les interdits, moyennant pots-de-vin, combines, arrangements légaux ! Beaucoup réussissent. Voyez les hommes d'Etat, les généraux, les fonctionnaires du parti, les écrivains de premier plan, les peintres, acteurs et sportifs !... Combien d'entre eux sont-ils des Moscovites de souche ? Les magasins de Moscou sont misérables. Mais regardez comment les Moscovites sont vêtus ! Les magasins d'alimentation sont vides. Mais allez rendre visite à des fonctionnaires qui ont atteint un minimum de réussite ! A Moscou on trouve tout ce qu'on veut. Mais il faut passer pour cela par les magasins réservés, le marché noir, les combines, les procédés illégaux, la force des privilèges. Tous les vins. Tous les aliments. Toutes les femmes. A Moscou, il y a tout. La drogue, la syphilis, les espions, les étrangers, les trafiquants de devises, les prostituées, les bouddhistes, les génies, les aigrefins, les homosexuels, les chercheurs de Dieu, les parapsychologues... Vous pouvez y voir n'importe quel film étranger, écouter n'importe quelle musique occidentale, lire n'importe quel livre. Des milliers de personnes y mènent des conversations interminables à un niveau intellectuel supérieur. En un mot, Moscou est une grande ville. Aujourd'hui, les pulsations de la vie battent à Moscou : elle est la base, la source, le centre, la pointe, l'âme et le cœur de cette tendance fatale de l'humanité : l'offensive communiste contre le monde entier. Quoi qu'en disent les critiques du régime soviétique (anti-soviétiques ou concurrents), les eurocommunistes, les Chinois, tous les autres aspects du communisme ne sont que des phénomènes dérivés, secondaires, par rapport à Moscou. L'initiative vient de Moscou. Moscou est le joueur, tout le reste n'est que facteur du jeu. Moscou impose son jeu au monde entier avec l'opiniâtreté et la pédanterie obtuses d'un système bien rodé qui échappe déjà au contrôle de ses agents. Pourtant...

Ce « pourtant » nous ramène aux considérations par lesquelles j'ai commencé cet article. Tous ces biens que j'ai décrits, qui en profite, comment sont-ils employés ? Pour y accéder, pour prendre part au grand jeu que mène Moscou, il faut se forger une image, il faut adopter un mode de vie tel que tout l'éclat, le dynamisme, l'intérêt de l'existence s'avèrent illusoires, s'effacent peu à peu, laissant la place à la grisaille, la vulgarité, l'ennui, la médiocrité... L'important n'est pas d'avoir quelque chose. L'important est de savoir le prix qu'il faut payer pour cela. Le prix payé par Moscou est trop élevé. Comme on dit, le jeu n'en vaut pas la chandelle. Le matériau humain qui jouit de l'existence à Moscou est sélectionné, éduqué selon les lois du mode de vie communiste, de telle sorte que cette jouissance ne peut être prise que dans un sens sarcastique ou très primaire. Jouir de l'existence à Moscou, se paie dans la majorité des cas par une chute morale complète et un mode de vie délinquant proche de celui de mafiosi. Même lorsque les biens sont acquis d'une façon légale (grâce au système des privilèges), on les utilise avec la conscience et le sentiment d'un voleur. L'axe de la psychologie sociale des Moscovites actifs est de s'arracher par tous les moyens à l'indigence de leur vie et de s'emparer de quelque avantage sur les autres. Or, l'indigence de l'écrasante majorité de la population moscovite, celle qui ne peut accéder à ces biens, est proprement indescriptible. On dit qu'en Occident, la vie des couches inférieures de la société n'est pas rose non plus. Je ne cherche pas à comparer. Je ne peux dire qu'une chose : il serait absurde d'espérer que Moscou apporte au monde la lumière et la fin de ses malheurs. Avec une constance, une opiniâtreté maniaques, sans tenir aucun compte des besoins de son peuple (il peut tout supporter), Moscou creuse la tombe de l'Occident. Dans quel but ? La question est absurde. Comme toute tumeur cancéreuse, elle cherche tout simplement à transformer le monde à son image. Au moment même où Moscou a gagné l'initiative dans l'histoire mondiale, où elle est devenue désormais le joueur numéro un, elle a révélé du même coup à l'évidence sa nature mauvaise et vile.

Munich, 7 mars 1979.

L'opposition
en société communiste

(Exposé à une conférence, à Florence)

J'entends par « *société communiste* » une société du type soviétique. Certes, l'établissement d'un régime communiste dans d'autres pays donne, et donnera lieu à certaines variantes et modifications. Mais le type de société ne peut que rester le même. En voici quelques traits nécessaires : la propriété privée des moyens de production est abolie, ces derniers sont socialisés à l'échelle du pays. Un système de pouvoir unique, unifié, pénètre l'ensemble de la société, du sommet à la base et dans toute sa variété géographique. Ce pouvoir n'a d'autre finalité que lui-même et il s'autoperpétue au moyen d'une sélection individuelle opérée par les institutions adéquates. Ce pouvoir possède l'apparence d'un pouvoir élu, mais en réalité il n'en est rien. Le pays est assujetti à un système économique unique, avec une interdépendance étroite de tous ses éléments, un plan unique, sans concurrence ni marché libre, avec une politique des prix, etc. La société se compose de cellules sociales et productives fonctionnelles de base, uniformisées, remplissant des fonctions bien précises et rigoureusement contrôlées dans la vie de la société. Les conditions de vie et d'activité s'uniformisent, aussi bien dans ces cellules que dans les autres sphères de l'existence. D'une façon ou d'une autre les individus sont fixés à ces cellules et à leurs lieux de résidence. La collectivité exerce un contrôle sur tous les aspects essentiels de la vie sociale. Il se forme une hiérarchie complexe de collectivités sociales et fonctionnelles et, parallèlement, une hiérarchie complexe dans les positions sociales des individus et leurs fonctions. La société se partage en couches privilégiées et non privilégiées. L'écart entre les niveaux de vie atteint des proportions gigantesques. Les organismes spéciaux contrôlent tous les aspects de l'existence des gens. L'idéologie unique de l'Etat se trouve investie d'un rôle énorme. Le système d'éducation et d'instruction est unifié. La répartition des valeurs s'opère en fonction de la position sociale de chacun.

Je suis loin d'avoir épuisé les traits généraux de toute société de type communiste. Mais cette brève description suffira à mon propos. J'ai sciemment omis de citer des phénomènes propres aux pays communistes comme les répressions, l'absence de libertés civiques, la faiblesse du niveau de vie pour la majorité de la population, l'éclosion de la médiocrité et de la gabegie, les dépenses insensées consacrées aux spectacles officiels, l'arrivisme, la vénalité, l'alcoolisme, etc., dans la mesure où ce ne sont pas là des fondements du régime social communiste, mais des conséquences qui en découlent. Les forces dominantes de cette société n'œuvrent pas consciemment pour produire, par exemple, des marchandises de mauvaise qualité, multiplier des difficultés de ravitaillement, engendrer des fonctionnaires vénaux, des feignants et des arrivistes. Mais tout ceci advient indépendamment de leur volonté, comme effet inéluctable du fonctionnement d'un certain type de société.

Le régime social communiste est en son essence stable (et même stagnant) pour toute une série de raisons dont je citerai les suivantes à titre d'exemples. Un système gigantesque de gestion et de contrôle pénètre la société tout entière, dans ses aspects les plus divers, de sorte que chacun se trouve littéralement pris dans ce filet du pouvoir. Un nombre important de personnes forme les couches privilégiées de la société, qui ont un intérêt vital à la conserver et à la renforcer sous sa forme actuelle. Si on laisse de côté toutes les violations de la norme, même si elles ne sont ni fortuites, ni exceptionnelles, on peut dire que tous les membres actifs de la société sont toujours fixés aux collectivités de base, qui les obligent à donner toutes leurs forces à la société et qui leur dispensent les biens sociaux. L'individu a donc intérêt à se conformer aux normes et aux exigences de la collectivité. En même temps, la collectivité garantit à chacun une certaine défense et une aide dans les situations difficiles. Les conditions de travail sont généralement faciles. Certes, le niveau de vie est relativement bas, mais les besoins minimaux en logement, nourriture, vêtements, loisirs, santé et repos sont plus ou moins satisfaits. Les individus et les groupes sont liés par de telles relations de dépendance que chacun est intéressé à perpétuer la stabilité et la routine quotidienne. Sur le plan psychologique, une soumission à des fonctionnaires nommés est moins humiliante que s'il s'agissait de patrons privés. D'autant plus qu'aux échelons inférieurs, ces fonctionnaires sont issus des couches inférieures de la société et continuent pratiquement à

201

vivre en leur sein. Dans les situations critiques (par exemple les catastrophes naturelles), les avantages du régime social paraissent évidents. La population dispose de possibilités non négligeables pour améliorer ses conditions de vie en se servant de sa position et de ses relations personnelles (vol, services réciproques, pots-de-vin, combines…). Bref, si l'on s'efforce d'avoir un point de vue objectif sur la vie réelle de ce type de société, on découvrira des fils innombrables qui emprisonnent des millions de personnes et qui en font précisément ce bloc monolithique que se plaît à représenter la propagande officielle. Ajoutez à tout cela un système d'éducation et d'endoctrinement idéologique d'une précision pédantesque, qui engendre un stéréotype de comportement unique pour tous (à de rares exceptions près), depuis les dirigeants jusqu'aux femmes de ménage. La société communiste a beau être faite de personnes mécontentes de leur existence, il n'en reste pas moins vrai que dans leur écrasante majorité, ses membres sont incapables de vivre dans d'autres conditions et qu'ils perçoivent leur mode de vie comme un milieu naturel. Il est donc naïf de croire que cette société repose seulement sur la contrainte et le mensonge. Il est certain que la contrainte comme le mensonge pénètrent la société dans toutes ses mailles. Mais ils ne sont pas tant imposés d'en haut ou de l'extérieur que produits par l'existence quotidienne de la population, dont ils sont un effet naturel, en même temps qu'un moyen de défense, d'intégration, de gestion, d'organisation.

Tout ceci ne signifie pas pour autant que cette société soit un monde de paix et de concorde, qu'il y règne une harmonie complète entre les personnes, les groupes, les collectivités. Au contraire, elle est partout et toujours le théâtre d'une lutte acharnée. Cette société déborde littéralement de haine. La bagarre touche aussi bien les hauts dirigeants, les professeurs, les petits fonctionnaires, les généraux, les écrivains... Lutte qui est un élément nécessaire de la vie normale de la société. En règle générale, elle prend des formes et elle utilise des moyens qui sont reconnus par la société. Elle ne l'affaiblit en rien et il est extrêmement rare qu'elle soit à l'origine d'une opposition à l'ordre social lui-même. De sorte qu'il n'est guère possible de considérer toutes les manifestations de mécontentement ou de lutte au sein d'une société communiste comme des formes d'opposition à son égard.

Comme chaque société, la société de type communiste engendre naturellement toutes sortes de mécontentements à l'encontre des conditions de vie données, ainsi qu'un désir de les transformer. Mais toute société implique un type de mécontentement et de désirs spécifiques. En Union Soviétique par exemple, on peut trouver beaucoup de personnes qui regrettent que la propriété privée sur les moyens de production et la libre entreprise aient été abolies. On peut trouver également des personnes qui voudraient rétablir la monarchie avec des propriétaires terriens et des capitalistes. Mais peut-on à l'heure actuelle prendre ces phénomènes au sérieux et les considérer comme des formes de mécontentement, des désirs de changement spécifiques de la société communiste ? Il est certain que non. La majorité écrasante de la population soviétique (et sa meilleure partie) est catégoriquement opposée à ce que les entreprises et les divers organismes deviennent privés. Quant à la libre entreprise, elle prend la forme de crimes dont la population approuve le châtiment. Enfin, l'idée d'une restauration de la monarchie semble tout simplement ridicule.

Néanmoins l'Union Soviétique est pleine de mécontents. Chacun y critique toute chose. Tous les journaux et magazines débordent de critiques de toutes sortes. La littérature officielle ne le cède en rien à la littérature dissidente dans sa critique du mode de vie soviétique et, à certains égards, on peut même dire qu'elle la surpasse. Il est difficile de trouver une personne qui s'abstienne de pester contre l'organisation et les responsables. Comment comprendre ce phénomène ? Certains en concluent que les jours du pouvoir soviétique sont comptés, que si on laissait réellement le peuple soviétique choisir son gouvernement et son mode d'existence, il abolirait le système existant. De tels espoirs se justifiaient dans la première vague d'émigration russe, lorsqu'on gardait encore les valises prêtes, attendant la chute rapide du régime. Mais quand ces espoirs s'expriment à l'heure actuelle, on ne peut les expliquer que par une incompréhension pathologique de la situation réelle ou bien par une volonté de flatter certains courants occidentaux. Les expliquer, mais non les justifier. Car enfin, il serait temps de voir la vérité en face et de comprendre que la société communiste est quelque chose de plus profond et de plus stable que s'il s'agissait seulement d'un ordre fondé sur la crédulité de la population et son oppression par quelques criminels. En fait, c'est un système qui englobe des millions et des millions de personnes, qui se reproduit de génération en génération et qui sécrète (choisit, éduque) le type d'homme qui lui convient. Loin de moi la pensée que ce système soit bon, qu'il soit meilleur qu'en Occident, qu'il me plaise, etc. Je ne fais que constater une réalité.

Le mécontentement touche toutes les couches sociales de l'Union Soviétique. Il est assez fort. Mais il pose un certain nombre de problèmes. Quel est le rapport entre la force de ce mécontentement et l'attitude générale des gens à l'égard de leurs conditions et moyens d'existence ? Cette force est-elle suffisante pour que d'eux-mêmes, ils s'insurgent contre leur mode de vie ? Existe-t-il des possibilités pour que le mécontentement s'exprime de façon publique (visible pour l'environnement et le pouvoir), qu'il se généralise et s'unifie à plus ou moins grande échelle, pour que les mécontents puissent soutenir une lutte de longue haleine afin d'améliorer leurs conditions d'existence ? La répression des protestations par le pouvoir est-elle la seule ou la principale raison de l'inexistence d'un large mouvement de protestation ? Par quels canaux le mécontentement caché se résorbe-t-il ? Pour répondre à ces questions ainsi qu'à beaucoup d'autres, il faudrait mener une recherche sociologique sérieuse. Je me bornerai ici à faire quelques remarques. Quels peuvent être les motifs de mécontentement dans une société ? Les conditions de vie, les conditions de travail et les chances de promotion trop faibles. Dans la société communiste, la réalisation des désirs de chacun dépend essentiellement de l'état général du pays et du système de répartition des biens, ainsi que tout le monde le sait depuis son plus jeune âge. On n'y trouvera pas d'individu responsable de tel ou tel fléau et chacun s'efforce d'améliorer sa position en se cantonnant exclusivement dans le cadre des possibilités offertes par le système et toujours individuellement

205

(ou par petits groupes). La force du mécontentement atteint rarement un degré critique, car les hommes sont habitués depuis des générations à un niveau de vie très bas. Le pouvoir dispose d'immenses possibilités pour réprimer toute expression du mécontentement (mesures administratives sur le lieu de travail, pouvoirs locaux, milice, KGB, armes). Les salaires étant bas, la population est purement et simplement hors d'état de rester longtemps sans travail. Tous les moyens d'existence sont aux mains du pouvoir. Mais ce n'est pas tout. En fait, la structure sociale est telle qu'elle exclut toute réunion des individus en des groupes importants, non reconnus officiellement, pour des périodes tant soit peu longues. Par toute l'organisation de leur vie quotidienne et de leurs activités, les hommes s'habituent à ne connaître qu'une forme purement négative de regroupement : celui qui a pour but d'écraser le mécontentement chez les autres ; du point de vue d'une expression positive du mécontentement, la population est condamnée à l'atomisation et, dans le meilleur des cas, à une résistance passive (laisser-aller dans le travail, absentéisme, activités en trompe-l'œil, ivrognerie).

Je souligne que pour comprendre la situation des mécontents dans le système soviétique ainsi que leurs perspectives d'avenir, il ne faut pas chercher des faits abstraits et des grandeurs absolues (combien sont mécontents de telle ou telle chose), mais la place et le rôle des mécontents dans la collectivité dont ils dépendent, l'attitude de ces collectivités à leur égard et leur sort, au cas où ils seraient exclus de ces collectivités. Le pays peut avoir des millions de mécontents, mais ils se répartissent de telle manière, aussi bien géographiquement que dans leurs collectivités respectives, que leur mécontentement est pratiquement paralysé. L'organisation même de la société exclut le regroupement de ces individus.

Je voudrais insister également sur un autre point, qui est en étroite liaison avec le problème de l'opposition en société communiste. Il s'agit de la liberté et de la non-liberté des individus. On ne peut vivre dans une société et en être complètement indépendant, c'est là une vérité banale. Cependant, même les esclaves et les serfs disposaient de quelques libertés, sans lesquelles leur existence eût été impossible. Il importe donc de savoir en quel sens on peut dire qu'un individu est limité ou libre dans une société donnée. De ce point de vue, ce serait une erreur grossière de considérer la société communiste comme un royaume de la liberté ou de la servitude absolues. Il serait tout aussi erroné de considérer la servitude comme le fait de scélérats malintentionnés ou la liberté comme une manifestation de la bonté d'âme des dirigeants. Ainsi, la fixation de chacun à son lieu de travail n'est-elle pas simplement une limitation intentionnelle de la liberté, une contrainte pure. C'est aussi une nécessité économique pour la majorité écrasante de la population, le seul moyen pour elle de gagner ses moyens d'existence. D'un autre côté, le pouvoir de la collectivité sur l'individu ou celui des chefs sur les subordonnés n'est pas sans limites. La journée de travail, par exemple, est réglementée à l'échelle de la société et elle ne dépend pas d'un pouvoir local arbitraire. Il en est de même avec la plus grande part (fixe) du salaire, les congés, un certain minimum assuré dans le domaine du logement et bien d'autres aspects importants de l'existence. Il existe une possibilité de changer son emploi, en recherchant celui qui vous convient le mieux. Il est possible d'entrer en conflit avec ses chefs sans trop de risque. Le licenciement n'est pas chose très facile. Si l'individu en question n'est ni un malfaiteur évident, ni un dissident, il sera défendu par sa collectivité et par diverses organisations. Bref, l'individu ordinaire n'est pas libre en vertu de certaines conditions objectives de son existence et, en même temps, il dispose de toutes les formes de liberté qui lui sont nécessaires pour pouvoir vivre dans ces conditions et qui rendent l'existence à peu près supportable.

Cependant les sociétés communistes sont immergées dans l'histoire de l'humanité et dans un ensemble mondial plus vaste. C'est en raison de ce « contexte » historique (et non en vertu de je ne sais quelle nature humaine anhistorique), qu'une partie des citoyens de ces pays ont connaissance de certains produits de la civilisation mondiale, comme les libertés civiques. Pour la majorité d'entre eux, cette connaissance reste purement livresque, comme un élément passif de leur culture. L'écrasante majorité de la population des pays communistes n'a guère besoin de ces libertés, de par son mode d'existence même et c'est pourquoi elles leur sont refusées. Pour dire les choses brutalement, ces libertés leur seraient aussi utiles qu'un parapluie à un poisson. Seule une partie infime de la population ressent le besoin de ces libertés civiques, et uniquement sur un fond culturel historique qui contredit totalement le tissu social de leur pays.

Et pourtant, les faits le prouvent, une opposition ouverte est possible dans les sociétés communistes. Ce thème ne nécessite pas de considérations théoriques abstraites. Actuellement, on peut constater l'existence de trois formes d'opposition de ce type, qui sont des produits spécifiques de la société communiste. Historiquement, la première d'entre elles fut l'anti-stalinisme. Son origine remonte à l'avant-guerre. Il prit de l'ampleur pendant la guerre. Bien qu'il eût été quelque peu étouffé dans les années qui suivirent la guerre, il avait poursuivi un cours souterrain. Mais c'est après la mort de Staline qu'il joua son rôle le plus actif. Cette période eut ceci de particulier que la lutte antistalinienne fut menée de façon très large, au niveau des organisations de base du parti. Le célèbre rapport Khrouchtchev ne fut pas le commencement de cette lutte, il en fut une manifestation, un résultat, une synthèse. A cette époque, le stalinisme apparut comme une déviation par rapport aux normes de la société soviétique. La lutte se menait donc au nom du respect de ces normes, au nom de la légalité, de la sécurité de l'individu, ce dernier étant censé être parfaitement loyal à l'égard du régime soviétique. Cette lutte fut couronnée de succès, surtout pour les dirigeants du parti, les fonctionnaires de toutes sortes qui occupaient une place importante dans les collectivités de base et la société dans son ensemble. Certes, cette lutte fut menée par des personnes qui devinrent par la suite des victimes du régime, mais ces fruits ont été avant tout recueillis par les maîtres du système soviétique. Pour la première fois de l'histoire ils sentirent qu'ils contrôlaient la situation tout en étant en sécurité. Mais la population du pays y trouva aussi son compte. La vie était devenue manifestement plus facile et plus tranquille.

La seconde forme d'opposition fut le « libéralisme »

dans la période khrouchtchevienne. Il est assez difficile de définir précisément ce phénomène, car sa nature était floue. Au cours de cette période, on vit apparaître dans toutes les sphères de la société des individus qui essayaient de jouer un rôle actif et qui se distinguaient de leurs prédécesseurs et concurrents par une meilleure instruction, de plus « grandes » capacités, un esprit d'initiative, un comportement plus libre, la tolérance dans le domaine des idées. Tout en poursuivant des buts personnels (carrière, bien-être, course aux honneurs), ils apportaient un certain adoucissement au système, ils faisaient naître une attirance pour la civilisation occidentale. Ils stimulaient la critique du système communiste, y prenant part eux-mêmes. Cependant, ils restaient loyaux à son égard et ils parlaient en son nom et défendaient ses intérêts. Leur seul souci était en fait d'améliorer leur position au sein du système et de rendre ce dernier plus propice à leurs fins. Si la première forme d'opposition (l'anti-stalinisme) combattait les excès du communisme, la seconde (le libéralisme) s'attaquait au provincialisme, à la stagnation, à la grisaille de l'existence. Il faut d'ailleurs reconnaître qu'à cet égard, la période brejnevienne est en dépit de tout une continuation de l'époque khrouchtchevienne, avec la seule différence que le libéralisme était circonscrit à un cadre acceptable pour le régime.

Troisième forme d'opposition, le mouvement dissident. Je considère que c'est le phénomène le plus important de l'histoire sociale de l'Union Soviétique, en ce sens que, pour la première fois de l'histoire, la dissidence a posé le problème de l'essence du communisme aux yeux du monde entier et qu'elle a donné

210

l'exemple d'une opposition à la société communiste dans son ensemble. Par sa seule existence, ce mouvement a prouvé qu'une telle opposition était possible et qu'elle exerçait une influence sur la vie de la société. En même temps, la dissidence manifestait également les limites d'une opposition au sein des sociétés communistes. Le mouvement était né à la fin de la période khrouchtchevienne et il atteignit une force maximale dans les années 1970. Il est très composite de par ses origines : nous trouvons là des savants, des écrivains, des étudiants, des juristes, des personnalités religieuses, des personnes voulant quitter le pays (l'émigration juive), etc. Les motifs qui ont poussé ces personnes à la dissidence ne sont pas moins variés, de même que leurs convictions et les buts qu'ils poursuivent. Néanmoins il y a de bonnes raisons de considérer ce mouvement comme un tout. C'est d'abord l'identité des trajectoires des dissidents, puis l'attitude de la société officielle et de la population à leur égard, une tendance vers une forme idéologique et organisationnelle commune, les liens personnels qui les unissent et enfin la façon dont ce mouvement est perçu à l'extérieur (en Occident). Pour ces mêmes raisons, il faut distinguer le mouvement dissident des autres formes d'opposition.

L'activité du mouvement dissident se définit par une mise en cause de certains aspects de la société qui, selon le point de vue officiel, sont inexistants ou bien sont seulement des déviations accidentelles, mise en cause qui touche l'essence même de la société communiste. Les formes d'action des dissidents se situent également en dehors du cadre de ce qui est permis habituellement, de la tradition et parfois même des lois de la société soviétique. Ce sont les déclarations publiques, le « samizdat », les informations transmises à la presse et à la radio occidentales, les manifestations, etc. On sait quelle fut, quelle est la réaction des autorités officielles et de certaines parties de la population. Les personnes qui choisissaient cette voie perdaient leur situation et leur emploi. Beaucoup étaient emprisonnées ou bien enfermées dans des hôpitaux psychiatriques. Beaucoup subirent une répression sous forme de mesures administratives. D'autres furent contraintes d'émigrer. Il faut reconnaître que les collègues de travail des dissidents aidaient le pouvoir dans la répression. Mais les persécutions des dissidents, loin de stopper le mouvement, n'ont fait que le développer et l'approfondir. Elles ont contribué à souder davantage les participants du mouvement et les ont contraints à s'organiser dans une certaine mesure. La dissidence s'oriente de plus en plus vers une unité idéologique : elle a pris la forme unique d'une lutte pour les libertés civiques, les droits de l'homme, forme qui, selon toute apparence, fut trouvée spontanément et qui exprime ce qu'il y a d'essentiel dans le mouvement, c'est-à-dire une protestation contre l'écrasement, l'asservissement de l'individu dans la société communiste, cette notion d'individu s'appuyant sur les meilleures conquêtes des démocraties occidentales. Et comme les libertés civiques (les droits de l'homme) impliquent nécessairement cette conception de l'individu, comme elles ne découlent en aucune façon des fondements de la société communiste et même les contredisent absolument, ce mouvement dissident apparaît non pas comme une remise en cause

212

de certains défauts du système, mais comme une attaque contre ses fondements mêmes.

Les dissidents se sont servis des déclarations purement formelles du pouvoir soviétique et de sa législation non moins formelle sur les libertés civiques, de sorte qu'apparemment, le mouvement ne quitte pas le cadre de la légalité. Mais comme nul ne l'ignore, toutes les déclarations et les « lois » du type des accords d'Helsinki ne sont que des mots creux, qui n'ont rien à voir avec la vraie nature de la société communiste. D'un point de vue purement sociologique, la dissidence est une protestation contre la situation réelle de l'individu, telle qu'elle est déterminée par les structures profondes de la société communiste. C'est pourquoi, si l'on se borne à considérer la dissidence comme un mouvement pour les libertés civiques (les droits de l'homme), on pourra dire qu'elle est condamnée à un échec inéluctable, car une société communiste comportant des libertés civiques pour l'individu est un non-sens aussi absurde qu'une société capitaliste sans argent, capital ni profit. Mais si l'on considère ce mouvement indépendamment de son enveloppe idéologique, sans se demander si son objectif est accessible ou non, on reconnaîtra qu'il est efficace et qu'il ne manque pas de perspectives. Quelles que soient les formes idéologiques qu'il prendra, il est engendré par des ressorts fondamentaux de la société, dont la destruction équivaudrait à l'écroulement du régime social lui-même. Tant que ces ressorts existent, ils feront naître une protestation sous une forme ou sous une autre, la dissidence en étant l'aspect actuel.

Le problème le plus complexe parmi ceux que pose

le mouvement dissident est sans doute celui de l'influence de la dissidence sur la population. Sur ce plan, tous les points de vue peuvent être étayés par des faits. On peut soutenir par exemple que le mouvement est faible numériquement. Ou, au contraire, qu'il est puissant et nombreux. Que son influence sur la population est infime ou immense. Que le soutien qu'il reçoit est énorme ou bien nul. En fait, tous ces jugements sont relatifs, car on ne dispose pas de critères ni de méthodes objectifs permettant de mesurer les phénomènes incriminés, toute recherche sérieuse étant impossible dans ce domaine (refus des autorités, manque de sincérité de la population, etc.). On est donc obligé de faire appel à son expérience personnelle, aux informations qu'on reçoit d'autrui, à une conception d'ensemble de la situation générale du pays. C'est pourquoi j'opterai pour une appréciation qualitative de la dissidence, et non quantitative (du type « elle est forte », « faible », etc.). Dans les conditions sociales soviétiques, l'action d'une seule personne peut jouer un rôle comparable à celui que peut jouer un groupe politique et même un parti. Une condamnation unanime de cet individu peut fort bien ne pas refléter les traces réelles qu'il a laissées dans les esprits. Ce n'est donc pas un hasard si le mouvement dissident soviétique est si personnifié, s'il est davantage représenté par les noms de ses participants que par les sigles des groupements. Une appréciation purement quantitative ne rendrait pas compte de la réalité des choses.

Avant tout, le fait même qu'un mouvement dissident ait surgi et qu'il ait eu une existence durable est un phénomène d'une importance historique. C'est là la ruine définitive des illusions concernant le paradis terrestre communiste. Il est devenu évident que l'histoire future du communisme ne sera pas faite d'harmonie et de grands baisers, mais de bagarres. Les dissidents ont donné un modèle de comportement digne d'être imité, et c'est bien ce qui se produit dans la réalité. Tout ce qui est lié à la dissidence constitue un des thèmes essentiels (parfois même le principal) dans les conversations des couches sociales les plus diverses. A prendre le seul domaine de la vie morale de la société soviétique, le mouvement dissident n'a pas son égal depuis dix ans, sur le plan de l'intérêt qu'il suscite. Il serait injuste de nier qu'un certain assouplissement dans le domaine culturel, au cours des dernières années, ait été le fruit du mouvement dissident. Même les autorités ont une certaine idée de la situation réelle du pays grâce aux dissidents, ce qui les oblige à des méthodes de gouvernement plus souples. Enfin, il est certain que la dissidence ne pourrait exister même un an, si elle ne bénéficiait pas du soutien matériel d'une portion non négligeable du pays. Le soutien de l'Occident est évident. Mais il ne faut pas exagérer son importance au détriment de la base intérieure du mouvement, sans laquelle l'aide occidentale elle-même serait impossible. La dissidence exerce avant tout une influence sur les mentalités de certains milieux, puis, à travers eux, sur des masses plus larges. Il serait absurde d'attendre des résultats immédiats, visibles, conformes aux idées des dissidents. Actuellement, il est pratiquement impossible de suivre le mécanisme de cette influence et de prévoir ses conséquences. D'ailleurs cela n'est point nécessaire. L'expérience historique de l'humanité nous fournit suffisamment de raisons pour espérer.

Ainsi donc l'expérience soviétique nous permet de distinguer trois formes d'opposition : 1) contre les excès du régime ; 2) contre la stagnation et le conservatisme ; 3) contre l'absence de libertés civiques. Bien entendu, ces trois formes sont liées entre elles, elles exercent entre elles une influence, elles se pénètrent mutuellement. Par exemple, la dénonciation des grandes purges et déportations staliniennes est devenue une critique d'ensemble de la société communiste et la répression que subissent les combattants des droits de l'homme suscite une opposition du premier type. Cependant, la différence entre les trois formes est suffisamment nette.

En conclusion je dirais que la division du monde en deux parties (le communisme et ce qui s'y oppose) n'est pas une division géographique. Que cette division touche aussi bien les pays occidentaux, est un fait suffisamment évident pour se passer de démonstration : chacun peut constater des phénomènes de type communiste, des tendances au communisme qui sont à l'œuvre dans les pays occidentaux. Mais il est essentiel de voir que cette division touche également les pays communistes eux-mêmes. Ces derniers s'efforcent aussi de s'opposer d'une façon ou d'une autre à l'avalanche communiste. Et je crois même que les agents et les dirigeants de cette avalanche qui frappe l'humanité dans son ensemble sont effrayés par leurs succès et seraient prêts à les modérer quelque peu. Il n'y a là rien d'étonnant. L'avalanche communiste n'est plus contrôlée par personne. Toute forme d'opposition interne qui viserait un contrôle même partiel de l'avalanche, a une importance indéniable.

Munich, janvier 1979.

Pourquoi le mouvement dissident soviétique n'a pas de programme positif

(Article destiné à la radio
« L'Onde Allemande »)

On entend assez souvent poser cette question : pourquoi les dissidents soviétiques, à la différence de leurs homologues des autres pays de l'Est, n'avancent-ils pas de programme positif pour une refonte de la société ? En ce qui concerne les dissidents de l'Europe orientale, la réponse me semble extrêmement simple. Dans ces pays, le régime communiste ne s'est pas constitué au terme d'une évolution interne, il a été imposé du dehors. Ces pays sont plus proches de l'Occident, non seulement de par leur position géographique, mais aussi de par leur mode de vie, leur culture, leur psychologie sociale. Ils peuvent encore nourrir quelque espoir de retourner au sein des pays occidentaux. Leurs projets de réformes positives ont pour but sinon de ramener ces pays en Occident, du moins de les retenir à mi-chemin et de leur éviter de sombrer dans ce bourbier vivant qui règne en Union Soviétique. Quant aux dissidents soviétiques, le problème se pose de façon plus complexe.

En Union Soviétique, le mouvement dissident est hétérogène de par sa composition sociale, ses mobiles, ses buts, ses formes d'action et les destinées de ses participants. Pourtant ils ont en commun : 1) une protestation contre des phénomènes qui leur paraissent injustes à l'égard d'eux-mêmes ou d'autres personnes ; 2) une protestation ouverte, tant par rapport au pouvoir qu'à leur environnement immédiat ; 3) une volonté de gagner la notoriété publique, à l'intérieur du pays comme à l'extérieur ; 4) l'établissement de liens personnels entre eux, des embryons d'association et d'organisation ; 5) une volonté de se maintenir dans le cadre de la légalité ; pour le moment, la tendance à l'illégalité est faible, et encore n'a-t-elle pour but que de rassembler des informations et de les rendre publiques, ce qui est parfaitement légal ; 6) les persécutions venant du pouvoir. Actuellement, le mouvement dissident est surtout remarquable par le fait même de son existence, par sa pérennité en dépit des persécutions systématiques et des pogroms, par la sympathie qu'il suscite dans des milieux plus larges, par le modèle de contestation qu'il offre aux autres (notamment à la jeunesse). Les conditions mêmes de son existence ont fait que le mouvement dissident a élaboré un certain nombre de slogans généraux qu'il serait abusif de qualifier de « programme ». Pour l'essentiel, ces slogans se ramènent aux idées suivantes. Le pouvoir doit respecter la lettre de la loi soviétique, remplir les obligations auxquelles il a souscrit, mettre fin aux persécutions dirigées contre ceux qui pensent autrement et veulent jouir réellement des libertés civiques qu'on proclame. Si même on voulait utiliser ici le terme de « programme », pris dans un sens un peu informel, il faudrait parler alors d'un programme négatif. Quant à un programme positif (un programme au sens précis du terme), un programme de réforme de la société soviétique qui réaliserait leurs aspirations et leurs slogans de dissidents, le mouvement dissident n'en a pas.

Je précise tout de suite que bien des Soviétiques ont des projets de réformes à proposer. De tels individus se rencontrent (ou du moins se rencontraient il y a quelques années), dans des milieux proches des dirigeants du parti. On en trouve également parmi les dissidents. Il en est qui estiment qu'il faudrait laisser aux paysans non seulement la jouissance de la terre, mais sa propriété, instaurer le self-government dans les usines, en un mot, revenir à février 1917. Selon les rumeurs, il y aurait même des partisans d'un retour à la monarchie. Mais en ce qui me concerne, je n'ai jamais rencontré de tels farfelus, même parmi ceux qui croient pouvoir régénérer la Russie par la religion orthodoxe. Tout ceci se limite à des projets individuels, non à des programmes qui engageraient tel ou tel mouvement, groupe ou organisation.

Cette absence de programmes ne saurait être un phénomène de hasard, ou une étape transitoire. Elle reflète la situation objective du pays et, par-dessus tout, les particularités de son système social et du matériau humain qui en est le porteur et le résultat. Or, les lois objectives de ce système et la nature de son porteur sont telles que même le puissant appareil étatique du pays est impuissant à surmonter leur immobilisme. Que de bonnes résolutions n'a-t-on pas adoptées pour relever le niveau de l'agriculture, accroître la productivité du travail, améliorer la qualité de la production, mettre un terme à l'alcoolisme, renforcer la discipline du travail, liquider la vénalité ! Ce serait d'ailleurs une erreur de croire que tous ces projets étaient hypocrites. Et quelles mesures grandioses n'a-t-on pas arrêtées pour les réaliser ! Or, les résultats sont bien connus. La société n'est pas une compagnie de soldats. On ne peut lui ordonner de se mettre au garde-à-vous ou d'aller en tel endroit à telle allure. Certes, on peut toujours la commander, mais il est peu probable que les ordres soient suivis d'effets. La vie d'une société n'est pas une action limitée dans le temps. C'est la vie de millions de personnes, de plusieurs générations, qui se livrent à des milliards d'actes de toutes sortes. Pour une part décisive, ces actions suivent des lois qui échappent à tout l'appareil du parti et de l'Etat, sans parler de la poignée de personnes qu'on a baptisées dissidents.

Je souligne que la situation de la population dépend avant tout du système des rapports sociaux, des particularités sociales de son porteur et non des stratagèmes perfides des autorités. Le pouvoir est ici un élément nécessaire du système, il lui est parfaitement adéquat. Même s'il le désirait, le pouvoir ne pourrait passer outre les possibilités du système et de son porteur, et il se condamne de la sorte à des réformes infimes qui rappellent seulement de très loin ce que peut être un progrès social. Le régime social existant n'est pas seulement et pas tant un produit de la contrainte, de la crainte et du mensonge. Il est par-dessus tout un effet naturel de l'existence de la population. Certes, cet état de fait convient à la plupart des tenants du pouvoir et des privilégiés. Mais ce n'est pas là un résultat de leurs noirs desseins, mais une conséquence de lois sociales qui échappent à leur contrôle.

On peut toujours, en restant au niveau des généralités, bâtir toutes sortes de beaux projets de réforme de la société. Mais il y a la réalité que toute personne sensée doit prendre en compte si elle aspire à l'améliorer. Par exemple, il paraît très réaliste et raisonnable de limiter les dépenses militaires, augmenter les crédits de l'agriculture et de l'industrie légère, développer la construction, assouplir le système du parti, donner la jouissance de la terre aux paysans, instaurer un self-government ouvrier dans les usines. Mais qu'on essaie seulement de réaliser ces réformes, de les proposer à la population ! A supposer même qu'on ne soit pas poursuivi par les autorités, il est peu probable qu'on trouve ne serait-ce qu'une dizaine de collectivités de base dans le pays qui appuieraient ce genre de propositions. Même dans le domaine de la vie quotidienne, matérielle, les travailleurs seraient du côté du pouvoir, car ils comprennent que leur niveau de vie ne dépend pas de résolutions ou de programmes, mais du régime social où ils vivent, et avant tout de l'organisation et la productivité du travail. Ou bien encore, admettons que l'on prenne la décision de faciliter les voyages à l'étranger et l'émigration, de telle sorte que toutes les entraves formelles soient abolies. Cette décision demanderait encore une application pratique. Une telle organisation suppose un appareil d'Etat. D'où, inévitablement, les combines, les pots-de-vin, le piston, l'arbitraire des fonctionnaires, les lenteurs bureaucratiques. Ajoutez à cela le problème des devises. Et puis où émigrer ? Tous les pays n'accueillent pas les émigrants soviétiques à bras ouverts. Peut-être l'état des choses changerait-il, mais cette transformation serait moins radicale et prendrait une autre direction que celle qui est désirée par les dissidents.

Les améliorations profiteraient avant tout aux privilégiés et aux filous qui n'ont pas trop de motifs de se plaindre actuellement. Ou encore prenons l'exemple des élections au Soviet Suprême. En Union Soviétique, même des bébés comprennent à l'évidence qu'il pourrait y avoir jusqu'à dix candidats par siège sans que la structure du pouvoir réel en soit modifiée pour autant car, dans ce pays, toute élection n'est que fictive. C'est pourquoi la récente décision de certains dissidents soviétiques visant à participer aux élections n'a guère été prise au sérieux, même dans les milieux dissidents.

Autrement dit, toutes les propositions positives que pourraient avancer les dissidents seraient ou bien refusées par la population, ou bien adoptées mais au profit de quelques-uns et d'une façon pervertie, ou bien elles conviendraient parfaitement à l'appareil du parti et de l'Etat. Or, celui-ci ne cédera jamais à personne son rôle d'initiateur de réformes.

Je prendrai encore un exemple pour illustrer mon propos. Pourrait-on réorganiser la justice et l'appareil répressif de l'Union Soviétique, de telle sorte que les gens ne puissent plus être poursuivis pour leurs idées ? Là encore, les Soviétiques savent fort bien que l'activité des institutions citées ne dépend pas de leur organisation interne ou de leur statut formel, mais de la situation générale du pays et des directives de l'équipe dirigeante. Il n'existe qu'une seule façon de « réorganiser » cet appareil qui dépende de la population, c'est de pouvoir lui résister d'une façon quelconque, et en particulier de faire connaître largement les cas de persécutions, organiser des protestations, se conduire stoïquement au procès et en détention. C'est un exemple caractéristique. La nature même de la société soviétique est telle que les seuls moyens effectifs de la réformer d'en bas, dans un sens positif, sont en fait purement négatifs, c'est-à-dire que ce sont des formes de résistance au régime.

La question d'un renversement du régime social existant ne se pose même pas aux dissidents. Quiconque est suffisamment au fait de la vie réelle de la société soviétique comprend qu'il est impossible de renverser le régime social en s'appuyant sur des forces intérieures. Ces forces font tout simplement défaut ; en outre, les gardiens du régime disposent de possibilités quasiment illimitées pour écraser toute tentative de rébellion. D'ailleurs, qu'est-ce à dire, renverser le régime social (communiste, socialiste) existant ? Restaurer la libre entreprise, la propriété privée de la terre, des usines ? La population ne l'accepterait à aucun prix, car sur ce plan, l'état de choses actuel l'arrange pleinement. Certes, toutes les tares de l'existence actuelle et récente du pays s'expliquent précisément par sa structure sociale, mais cette considération ne peut intéresser que des penseurs, non des hommes plongés dans la vie pratique. Toutes les formes intermédiaires entre les systèmes occidental et communiste ne peuvent exister que provisoirement, à titre d'exceptions, localement ou pour la façade ; elles ne peuvent affecter sérieusement ou longuement l'organisation sociale.

Tout programme sérieux d'un mouvement politique doit tenir compte des besoins réels de tel ou tel groupe de la population et des possibilités de les unir sur cette ligne. L'Union Soviétique compte une grande masse de mécontents dans toutes les couches sociales. Il

225

serait plus difficile de trouver une personne satisfaite qu'un mécontent. Certains en tirent la déduction que le régime n'est pas solide, qu'il s'écroulera bientôt. En réalité, la société est loin de se décomposer, le régime tient toujours bon. Alors ? Alors qu'on essaie seulement de partager la population, en mettant d'un côté les personnes satisfaites et de l'autre les mécontents. La tâche est impossible, car cette société se partage naturellement d'une autre façon. Le mécontentement se capitalise sous des formes qui excluent toute organisation des mécontents. La société se décompose en une multitude de cellules (collectivités) sociales et fonctionnelles. La majorité d'entre elles sont de toute confiance du point de vue de l'intégrité et la stabilité de la société, de même que du point de vue de leur gouvernement. Quant aux mécontents qui se transforment en dissidents, ils sont de rares exceptions et ne jouent aucun rôle actif dans ces cellules. Sitôt qu'ils deviennent dissidents, leurs collègues eux-mêmes les rejettent de leurs collectivités. Ils deviennent alors des exclus sans sources de revenu légal et sans possibilité de constituer eux-mêmes des cellules indépendantes et viables. S'ils s'organisent, leurs associations sont considérées comme illégales et sont poursuivies. Tout en bénéficiant de la sympathie de certains milieux, les dissidents n'expriment pas les intérêts d'un groupe social quelconque (ouvriers, paysans, instituteurs, chercheurs, militaires ou autres). Ils sont les porte-parole d'une protestation contre la situation générale du pays, protestation qui touche des individus dans les groupes les plus divers. L'objet principal de l'activité des dissidents, c'est le sort personnel de ces individus en tant qu'individus et non en tant que représentants

226

de telle ou telle couche sociale. Par exemple, si les dissidents attirent l'attention de tous sur le sort d'un ouvrier, cela ne signifie pas pour autant qu'ils expriment les intérêts de la classe ouvrière.

Toute société invente des formes spécifiques pour exprimer et synthétiser son mécontentement. La société soviétique a également découvert au moins une de ces formes : le mouvement dissident. Il a surgi grâce à un concours de circonstances favorables. Mais ensuite le phénomène s'est avéré durable et il a commencé à compter dans la vie du pays. D'une façon purement expérimentale, les dissidents ont découvert la forme idéologique qui était la plus efficiente : ils sont devenus la mauvaise conscience de la société soviétique et n'ont pas cherché à avancer des programmes utopiques.

La dissidence n'est pas la seule forme possible que peut prendre la résistance au régime soviétique. Par exemple, il n'est pas exclu qu'on voie se développer le terrorisme et des organisations terroristes clandestines. Mais ce ne serait pas alors une branche du mouvement dissident, même si les autorités tentent de compromettre celui-ci en lui attribuant des intentions et des actes terroristes. Pour l'essentiel, le mouvement dissident dans son ensemble se place dans le cadre de la légalité formelle soviétique, bien que le pouvoir s'efforce de le présenter comme illégal et qu'il le persécute en violant ses propres lois. Par cette seule orientation, les dissidents s'interdisent non seulement d'élaborer un jour un programme positif de réforme, mais aussi de comprendre pour eux-mêmes l'impossibilité d'un tel programme. Je souligne que je ne parle pas des bavardages et de la réformite, mais d'un véritable programme capable d'entraîner de larges couches de la population. Toutefois, comme on dit, à quelque chose malheur est bon, car depuis déjà longtemps, le peuple soviétique en a plus qu'assez de programmes de toutes sortes.

Munich, 24 février 1979.

Même le soleil
a des taches

Il est des personnes pour lesquelles le mouvement dissident est leur vie, leur sort, leur vocation et même, en partie, leur profession. Pour moi, c'est seulement un objet d'observation, un thème de réflexion. Pour moi, c'est seulement un des phénomènes de la société communiste, un phénomène qui est d'ailleurs loin d'être le principal. Je ne prétends pas porter l'auréole de champion des droits de l'homme, de la liberté et de la justice, du bonheur du peuple. Je ne prétends même pas porter l'auréole de victime du régime soviétique. Bien que je l'aie combattu toute ma vie et que mon existence n'ait pas été semée de roses, ce régime est davantage ma victime que je ne suis la sienne. En fin de compte, ce régime a eu plus à pâtir de moi que l'inverse.

La position d'un Soviétique étudiant le mouvement dissident sans y appartenir s'avère inévitablement ambiguë, même avec les meilleures intentions du monde. D'un côté, ce mouvement comporte deux traits de sacrifice et d'héroïsme, qui attirent avant tout l'attention des dissidents eux-mêmes et de leurs sympathisants, de ceux aussi qui sont intéressés d'une façon ou d'une autre à l'existence du mouvement dissident. Naturellement, ces gens voudraient (et avec raison) qu'on chante des dithyrambes aux dissidents, qu'on évoque leurs hautes qualités morales, leur haut niveau intellectuel, leurs buts généreux, les énormes conséquences de leur action. Mais d'un autre côté, ce mouvement a un caractère de masse et il est en outre un produit caractéristique de la société communiste. Il est pris lui-même sous l'action des lois de la société. Ses participants sont des Soviétiques, dont le comportement est déterminé par la conscience idéologique et les normes sociales de cette société. Ce mouvement a pour cadre la société soviétique. Il faut donc le juger précisément comme un élément de la vie de cette société, en le comparant à d'autres phénomènes de la vie sociale. Sous cet angle, les dithyrambes concernant le mouvement dissident et ses participants apparaissent comme des exagérations et parfois même comme des mensonges. De sorte qu'une personne désireuse de dire la vérité sur cet aspect du problème passera pour être malintentionnée à l'égard des dissidents. Par exemple, si vous dites que le slogan de la lutte pour les droits de l'homme n'est qu'une mise en forme idéologique, extérieure, du mouvement dissident, disparate dans sa réalité, que quelquefois, ce slogan est parfaitement étranger aux préoccupations psychologiques et aux motifs qui ont poussé un individu à participer à ce mouvement, que ce slogan n'a pas de racines profondes dans la société, que, dans la société communiste, il est tout bonnement dépourvu de sens réel en tant que programme de réformes, que le mouvement dissident ne représente pas les intérêts des couches plus ou moins larges de la population, alors vos affirmations

230

seront considérées comme une position officielle du pouvoir et vous serez compté dans l'armée des agents du KGB. Ce faisant, on oubliera le fait banal que tout mouvement a besoin d'une mise en forme idéologique qui ne correspond jamais à la lettre avec sa nature pratique et les objectifs du mouvement, que l'histoire est faite par des êtres vivants, avec tous leurs défauts, et non des anges, que ceux qui sont poussés à l'opposition sont souvent loin d'être les meilleurs représentants de l'humanité. Le mouvement dissident est un phénomène soviétique et la vérité à son sujet est aussi irritante pour ses participants et ses apologistes, que l'est la vérité sur le communisme pour ses apologistes.

Mais de toute manière, on ne peut fuir le jugement de l'histoire. Rappelons-nous les décembristes ! Du point de vue du caractère massif du mouvement, de son lien avec le peuple, ses idéaux positifs et sa détermination à se battre pour eux, ce mouvement dépasse incommensurablement le mouvement dissident. Néanmoins, l'histoire ne l'a pas épargné. Ce qui ne l'a pas diminué pour autant, bien au contraire. De toute façon, des paroles amères seront dites à propos du mouvement dissident. Actuellement, à l'heure où il traverse une crise profonde, la vérité sur ses défauts serait bien plus utile pour le mouvement et ses héritiers que des paroles grandiloquentes sur ses vertus qui sont universellement connues et sont indubitables. Je ne prétends pas faire une analyse critique profonde et complète du mouvement dissident et me bornerai seulement à faire part de quelques réflexions.

Pour tout le monde, la décadence du mouvement dissident en Union Soviétique s'explique par une répression accrue de la part du pouvoir. Il est vrai, bien entendu, que cette répression s'est renforcée. Mais en fait, le renforcement de la répression est en partie stimulé par l'affaiblissement du mouvement, pour des raisons d'un autre ordre, dont je citerai quelques-unes. Tout d'abord, ce qui saute aux yeux, ce sont les calculs exagérés des leaders dissidents concernant la notoriété et la sensation, calculs qui se sont mués en vanité et en autosatisfaction démesurées. La situation a évolué de telle sorte que de nombreux dissidents ont commencé à jouer des rôles sociaux, analogues à ceux des stars du cinéma ou de la chanson. Cette attirance pour la publicité et la vanité sont des maladies caractéristiques de notre époque. En Union Soviétique, elles sont fortement stimulées par l'influence de l'Occident, où même les leaders politiques sont devenus, à bien des égards, des acteurs en matière de politique. Bien entendu, la recherche de la notoriété jouait en Union Soviétique le rôle d'une autodéfense. Mais il est des lois impitoyables de la psychologie sociale, selon lesquelles une défense excessive devient un but en soi qui finit par absorber le but initial. A cause de cette faiblesse des généraux et des héros du mouvement dissident, rien n'y atteignait la maturité des idées. Tout était immédiatement rendu public et utilisé. Tant que le mouvement dissident n'aura pas acquis une vie intime qui ne soit pas de réclame, tant qu'il ne sera pas débarrassé de sa vanité théâtrale, il ne pourra être question qu'il plonge des racines profondes dans l'épaisseur de la population et dans la succession des générations. La focalisation de l'attention de l'opinion sur quelques figures du mouvement dissident et sur certains de leurs actes, devenus des clichés

232

commodes pour le battage journalistique, n'a pas causé moins de tort au mouvement que les persécutions venant du pouvoir. Elle a été un obstacle à la venue de forces nouvelles, particulièrement de jeunes. Les principales figures du mouvement sont devenues des personnes plus ou moins célèbres qui, pour des raisons diverses, ont commencé à se livrer à des actes qui éveillaient de larges échos en Occident, et non des personnes qui auraient pu exercer une influence plus profonde sur leurs compatriotes, les stimulant pour une activité discrète, loin de la sensation, mais plus profitable pour l'avenir du mouvement.

En règle générale, ceux qui venaient au mouvement dissident étaient des personnes dépourvues de formation spéciale dans les domaines de la politologie, de la sociologie, de la philosophie et des méthodes d'analyse de la vie sociale. La culture accumulée dans ces domaines était totalement ignorée ou tournée en dérision. Il suffisait de vitupérer la société soviétique et ses tares pour s'élever automatiquement, avec la plus grande assurance, au-dessus de la science et de l'idéologie soviétiques officielles et se prendre pour le seul à comprendre correctement la société soviétique. Il suffisait de subir la répression pour se croire expert de la société soviétique. Il faut d'ailleurs ajouter que l'Occident a soutenu et soutient encore cette tendance. Aux yeux de l'Occident, les dissidents et les victimes du régime soviétique sont les meilleurs spécialistes de l'Union Soviétique. Cela comporte un avantage, car ainsi le régime soviétique est démasqué. Mais en même temps, cela laisse dans l'ombre le contenu essentiel, plus dangereux pour la civilisation, du mode de vie communiste, les bases de sa pérennité, les raisons de

233

l'attirance qu'il exerce, les causes et les sources de sa force et de ses visées sur l'hégémonie mondiale, etc. En réalité, les jugements des dissidents sur la société étaient seulement des trouvailles d'amateurs, qui n'avaient presque aucun succès même dans les milieux de l'intelligentsia « sympathisante ». Le niveau intellectuel de la pensée dissidente ne pouvait pratiquement pas dépasser celui même de la science et de l'idéologie officielles soviétiques en la personne de leurs meilleurs représentants. Il suffit de considérer quelques-unes des idées des dissidents sur les réformes de la société pour constater l'indigence monstrueuse de leur pensée sociale. A vrai dire, peu de gens ont considéré la dissidence de ce point de vue, ramenant exclusivement leur rôle à une protestation contre les tares de la société qu'ils démasquaient. Cependant, il est absolument impossible d'élaborer un programme positif sérieux pour l'action de l'opposition, si on ne procède pas à des analyses scientifiques de la société communiste. On sait qu'un grand nombre de dissidents ont émigré en Occident. Chacun a trouvé une justification à cette émigration, pour lui et pour la presse. Mais du point de vue social, c'est une illusion de justification. Si l'on prend les bonnes intentions des dissidents pour argent comptant, l'émigration, dans les circonstances actuelles, équivaut pratiquement à une trahison. Les dissidents émigrés sont partis, comme ils l'affirment, par nécessité et avec l'intention de mieux servir la cause de la dissidence. Mais qui cherchons-nous à tromper ? Imaginez une armée dans une situation difficile, que ses généraux abandonnent pour se mettre à l'abri en justifiant cet acte par la volonté de mieux la commander. Comment appeler

234

cela ? Une désertion. La situation décrite équivaut à une désertion, quelle que soit la noblesse des mobiles avancés. Une telle propension à la désertion prouve, parmi une part importante des dissidents, l'absence de profondes motivations psychologiques. On en vient à se demander si beaucoup ne sont pas devenus dissidents par quelque calcul rationnel, et non par suite d'une nécessité psychologique intérieure. Sur le plan humain, je comprends que l'émigration vaille mieux que la prison. Mais tant qu'au sein du mouvement dissident, le fait de préférer la prison à l'émigration ne deviendra pas massif, ce mouvement ne pourra devenir profond, indestructible, se reproduisant de génération en génération. Je sais que de telles personnes existent en Union Soviétique. Je m'incline devant elles. Je suis sûr que ce sont elles qui poursuivront l'œuvre commencée par les dissidents de la période écoulée.

Le mouvement dissident actuel n'est qu'une forme transitoire de la résistance intérieure au régime communiste. Il est la première expérience de ce genre dans l'histoire de la société communiste. Il ne mérite pour cela qu'honneurs et louanges. Mais il serait bon aussi de songer aux leçons de cette expérience et aux possibilités de nouvelles formes de résistance.

Munich, avril 1980.

La bagarre
est une affaire sérieuse

(Lettre ouverte à André M.)

Cher André ! Je connais les circonstances qui ont entouré ta vie. Ton sort me préoccupe non seulement pour des raisons personnelles, mais aussi du point de vue de la transmissibilité des mentalités entre les générations. Dans cette lettre, je voudrais te faire part, brièvement, de mon expérience personnelle. N'y vois pas une leçon édifiante, mais seulement les réflexions d'un homme qui a dit son « non » à la société il y a plus de quarante ans, dans des conditions bien pires que celles d'aujourd'hui et en étant parfaitement seul.

Beaucoup de mes critiques ont caractérisé ma position comme un pessimisme extrême. Je proteste énergiquement. Au contraire, il s'agirait plutôt d'un optimisme extrême. Il est vrai que ces notions de pessimisme et d'optimisme, je les comprends dans un sens qui n'est pas du tout leur sens vulgaire. Imagine la situation suivante. Notre unité est encerclée par l'ennemi, qui nous est largement supérieur. Un homme déclare que l'ennemi est faible et que nous l'écraserons. Dira-t-on de lui que c'est un optimiste ? Un autre annonce que l'ennemi est beaucoup plus fort que nous et que nous n'avons aucune chance de nous en sortir ? Dira-t-on de lui que c'est un pessimiste ? Non, évidemment. Pessimisme et optimisme sont des phénomènes d'ordre psychologique, qui n'ont rien à voir avec la situation décrite. Celui qui dira que nous sommes condamnés et que c'est pourquoi nous devons combattre jusqu'au bout (comme disent les Russes, tant qu'à mourir, il faut le faire en musique), celui-là ne sera pas un pessimiste. Ce sera un optimiste, mais d'une espèce particulière : un optimiste historique. L'optimisme historique signifie qu'on sait la vérité, si cruelle qu'elle soit, et qu'on est déterminé à se battre, quoi qu'il en coûte. L'optimisme historique ne compte sur rien ni personne, sauf sur soi-même et sur la bagarre.

Mais la bagarre est une affaire sérieuse. Elle a ses lois, sans le respect desquelles elle perd sa grande portée historique. J'en citerai une, à titre d'exemple, une loi qui, à mon sens, est essentielle à notre époque.

Au cours de mon enfance et de mon adolescence, il m'est souvent arrivé de me battre, et jamais de ma propre initiative : je ne faisais que me défendre. Lorsque mon adversaire était en gros mon égal sur le plan de la force, l'issue de la bagarre tournait parfois à mon avantage, parfois à celui de l'adversaire. Mais si cet adversaire était sensiblement plus fort que moi et que l'attaque fût le fait de plusieurs personnes, alors, de façon générale, je gagnais ou du moins je n'essuyais pas de défaite. Pourquoi ? Ce phénomène à première vue étrange s'explique très simplement, comme on le verra sur cet exemple. Un jour, des garçons d'une rue voisine me tendirent une embuscade. Ils étaient une dizaine, dont beaucoup étaient individuellement plus forts que moi. Je leur annonçai : « Le premier qui me touche, je lui arrache un œil, et ensuite vous pourrez faire de moi ce que vous voudrez ! ». Ils me connaissaient et savaient que je tiendrais parole. Ils me laissèrent partir. Cet exemple est très instructif. Ils étaient beaucoup plus forts que moi et c'est pourquoi ils voulaient me rosser, sans avoir pour autant à souffrir. Ils ne voulaient rien perdre. Tandis que moi, je n'avais pas d'autre issue que de me battre par tous les moyens dont je pouvais disposer. J'étais prêt à tout perdre, mais en même temps à porter à mes ennemis tout le préjudice que j'étais capable de leur infliger. Par la suite, je généralisai cette expérience en un principe moral particulier que voici : défends-toi toujours et en toute situation. Si l'ennemi qui t'agresse est beaucoup plus fort que toi, tu as le droit moral d'employer tous les moyens dont tu disposes pour te défendre. Qui plus est, tu dois te battre jusqu'au bout, sans craindre aucune perte et en infligeant à l'ennemi tout le préjudice dont tu es capable. Je crois qu'à notre époque, lorsque l'individu subit le poids écrasant des grandes collectivités humaines et de l'Etat tout entier, ce principe moral va de soi et se justifie par une inégalité des forces. Il s'applique parfaitement aux rapports entre les petits pays et les immenses états agressifs qui les surpassent incommensurablement par leur puissance militaire. Etre prêt à subir n'importe quelle perte et à se battre jusqu'au bout, être prêt à infliger de sérieux préjudices à l'ennemi, voilà qui est un facteur important dans la lutte et qui réduit parfois à néant tous les avantages du puissant. Ce facteur n'est efficace qu'en tant que moyen de défense, mais

239

en aucun cas il ne peut servir l'attaque, car il suscite alors une résistance qui le dépasse.

Les personnes qui entreprennent de combattre les tares de la société communiste butent, dès les premiers pas, sur le problème moral suivant : ceux qui luttent sont des individus isolés et faibles, qui ne sont presque jamais défendus par les normes juridiques de leur société, pas plus que par la force de l'opinion publique ; or, ils ont à affronter un puissant Etat, doté de tous ses appareils de répression, et la masse de la population qui, si elle sympathise dans une certaine mesure avec ces individus isolés, n'en collabore pas moins, dans les faits, d'une façon ou d'une autre, avec le pouvoir. Dans ces conditions, si ces révoltés obéissent aux règles de la morale, en ce sens qu'ils sont toujours sincères, francs, s'ils n'emploient pas la ruse et des tactiques de toutes sortes, s'ils n'emploient pas la duperie et le mensonge, etc., ils faciliteront par là même la tâche des appareils de répression et, dès le début, leur révolte sera condamnée à une défaite qui ne laissera aucune trace. A l'inverse, s'ils agissent comme des membres ordinaires de la société communiste et s'ils passent outre les normes morales déjà citées, alors ils seront intimement atteints par une corruption qui finira par tuer leur entreprise, quelle que soit la générosité de leurs buts. Comment résoudre ce problème ? Est-il admissible de violer les principes moraux au nom du principal moral que j'ai évoqué initialement ? Où passe la frontière entre l'attaque et l'autodéfense ? La révolte d'individus isolés contre cet ordre social est-elle une forme d'autodéfense contre une oppression ? Comme tu vois, les choses ne sont pas simples. Bien au contraire, celui qui entre en conflit

240

avec la société en étant mû par des idéaux et des buts élevés, se trouve pris dans un filet inextricable de problèmes moraux dont il ne soupçonnait même pas l'existence auparavant. Et d'après ce que j'ai pu observer, rares sont ceux qui ont réussi à se libérer de ce filet tout en gardant leur pureté morale.

Je n'ai pas de solution catégorique à apporter à ce genre de problèmes. Néanmoins, j'incline à penser la chose suivante. Le combat le plus profond qu'on puisse mener contre les tares de la vie communiste, c'est la lutte qui vise à opposer des limites aux lois du comportement et des relations humaines au sein des grandes collectivités, lois que j'ai décrites de façon assez détaillée dans mes livres. La répression exercée par les autorités n'est que la somme, la manifestation suprême de ces lois, non le fondement du régime. C'est pourquoi le fait de créer des modèles de comportement clairs et purs sur le plan moral, est une condition nécessaire, quoi qu'il en coûte, pour que cette lutte soit sérieuse, transmissible et pour qu'elle ait un avenir. Si on lutte contre le régime communiste dans des formes qui sont analogues à celles du comportement des gardiens de ce régime, on peut obtenir des succès provisoires, mais on finira par connaître le cynisme, la lassitude et la déception. Ce qui doit être à la source de cette lutte, c'est un sacrifice pur et radieux, et non la cupidité, la vanité, le calcul, l'intérêt égoïste. A mon sens, l'une des causes de la faiblesse du mouvement dissident en Union Soviétique, c'est qu'il n'a pas réussi à se garder des tentations et des vices de la société qui l'a engendré.

Les problèmes que je viens d'évoquer ne sont que les appâts des pièges moraux qui t'attendent sur la voie de la révolte. Ces pièges, les voici. Les personnes

241

qui luttent pour telle ou telle réforme sociale, portent-elles la responsabilité morale des mauvaises conséquences que pourront avoir ces réformes ? Peut-on justifier moralement les actes d'individus qui ne se rendent pas compte de leurs possibles conséquences négatives ? Peut-on justifier ses actes par ses bonnes intentions et l'impossibilité où on était d'en prévoir les funestes conséquences ? La terrible expérience de lutte contre le communisme, l'histoire des pays communistes offrent une matière suffisamment riche à qui veut réfléchir sur ces thèmes. Cette expérience ne doit pas être oubliée, afin que nous-mêmes, par la suite, nous ne nous retrouvions pas dans la situation de canailles qui commettent des crimes odieux au nom de radieux idéaux. Ensuite, un individu ou un groupe a-t-il le droit moral d'agir au nom de masses humaines plus larges et de représenter ses intérêts personnels comme si c'étaient ceux de ces masses ? Inutile de préciser que toutes les vérités reçues à ce sujet ont été mises en question par notre époque et que nous devons tout recommencer en faisant table rase du passé. Là encore, je n'ai pas de solutions toutes prêtes à proposer : la vie d'un individu est trop insignifiante pour cela. Malgré tout, en ce qui me concerne personnellement, j'incline à penser ainsi : dans les conditions de la société communiste, ce qui doit être la base de la protestation, c'est la décision des individus de combattre pour eux-mêmes, pour leur individualité propre, leur dignité et leur indépendance. Seule, une unité entre des individus de ce genre peut engendrer une protestation massive qui serait un facteur important et permanent de l'histoire future. Une unité, mais non une organisation. L'organisation est un phénomène

242

foncièrement communiste. Seule, l'unité des révoltés, de ceux qui résistent, de ceux qui ont le sentiment d'être des personnes souveraines, seule, cette unité peut devenir un puissant moyen de résister à l'avalanche communiste de l'histoire. Je n'ai pas la possibilité ici de t'expliquer la différence entre l'unité et l'organisation. Si cela t'intéresse, tu pourras trouver cette explication dans mon livre, *L'Antichambre du paradis*.

Une dernière idée. Il y a plus de quarante ans, j'étais aussi étudiant. J'avais des capacités qui me faisaient espérer une carrière scientifique réussie. Mais un jour (c'était en automne 1939) je fis part publiquement de ma proposition contre le culte de Staline. Cette seule et brève déclaration changea complètement le cours de mon existence. Tous ceux qui me connaissaient et qui étaient plus ou moins au fait de mon histoire, étaient abasourdis : pourquoi avais-je fait cela ? Mais pour moi, la réponse était très simple : parce que je ne pouvais pas agir autrement. Tel est le fond de l'affaire : on ne peut pas faire autrement ! La révolte individuelle (je le compris bien plus tard) ne se justifie moralement que si cet individu ne peut agir autrement, de par son moi profond. Elle ne peut se justifier si elle est mue par la cupidité, la vanité, le calcul pratique et d'autres motivations explicables rationnellement. La révolte moralement justifiable n'a nul besoin d'être fondée ni justifiée. Elle est irrationnelle et ne possède nulle cause. Elle n'a que des conséquences et, quant à l'insurgé, il n'a qu'un destin.

Je crois que c'est tout. Je te souhaite de devenir un vrai homme et de connaître la joie de la lutte réelle.

Munich, 27.2.1980.

Le jeu à l'histoire

(Articles dans « Le Monde », 18.5.1979)[1]

C'est devenu depuis longtemps une banalité de dire que le monde moderne forme un tout, que tous les événements importants qui se déroulent dans une de ses parties se répercutent ailleurs, que lorsqu'on tranche des problèmes sérieux, on doit tenir compte des rapports mutuels et des intérêts respectifs de tous les éléments du système mondial. Mais il est plus facile de prodiguer de sages conseils que de les suivre. En pratique, on se comporte le plus souvent comme s'il n'existait pas une entité mondiale et on ignore les conséquences (pourtant évidentes) de son comportement, non seulement pour les autres, mais pour soi-même. Cette attitude ne s'explique sans doute guère par une méconnaissance de la vérité banale que je viens de répéter. Le comportement des uns et des autres sur l'arène de l'histoire n'est pas fonction de la connaissance qu'ils peuvent avoir de cette arène, mais de ce qu'ils veulent y faire et du rôle qu'ils sont obligés d'y jouer. C'est pourquoi, lorsqu'on réfléchit aux relations entre les pays, les blocs et les systèmes

---

1. Publié dans une autre traduction (*N. d. T.*).

sociaux, en Europe ou dans le monde, ce n'est pas la position moraliste qui est la plus saine, celle qui se demanderait comment les choses pourraient aller dans le meilleur des mondes, en ménageant la chèvre et le chou, mais une position impartiale et scientifique qui essaierait d'analyser le présent et l'avenir dans ce qu'ils ont d'inéluctable, malgré toutes les meilleures intentions des uns (c'est-à-dire le plus souvent de la chèvre) et les noirs complots des autres (c'est-à-dire, le plus souvent, du chou).

En accordant ma préférence à une position scientifique du problème, je ne suis pas du tout enclin à privilégier le rôle que jouerait la connaissance scientifique de la « salade » mondiale, dans le processus même de cette « salade ». Dans le cas présent, je verrais plutôt le rôle de la science dans la satisfaction qu'elle procurerait à quelques malins, qui pourront dire, si toutefois ils en réchappent, que les événements funestes qu'ils ont prédits se seront bien réalisés. Néanmoins, je voudrais m'exprimer dans un esprit scientifique. Non pas pour gonfler le nombre desdits malins, car je ne veux rien prédire. Non pas pour rappeler une fois de plus que les efforts des uns et des autres sont vains, car ce ne sont pas des paroles de ce genre qui pourraient les arrêter. Mais parce que, en ce siècle de consternant épanouissement scientifique, il faut résoudre scientifiquement les problèmes du rôle de la compréhension scientifique, même dans des situations où les hommes ne peuvent guère profiter de cette compréhension.

Les avantages du point de vue scientifique sont indéniables. Jugez-en ! Par exemple, des millions de personnes souffrent de par le monde, du fait de l'activité de certains. Si l'on ne s'en tient pas à un point de vue scientifique, il faudra prendre part à leurs tourments, s'indigner et même se livrer à des actions en faveur de ces malheureux. Rien de tel si l'on considère les choses du point de vue scientifique. Dans ce dernier cas, on peut comprendre la situation mondiale comme une sorte de jeu, en s'inspirant d'une des orientations fécondes de la science. L'on aura alors le sentiment de dominer toute l'humanité. Et l'on aura, hélas, raison, si surprenant que cela paraisse.

Bien sûr, tout ce qui se passe dans le monde n'est pas nécessairement un jeu. Tous les rapports entre les hommes et les pays ne peuvent être englobés dans cette catégorie. Mais il est indéniable que cet élément est présent partout. En tout cas, les relations entre le bloc soviétique (« l'Est ») et l'Occident présentent actuellement le modèle classique d'un jeu, ce mot étant pris dans deux sens différents : d'abord, comme un spectacle grandiose (les dirigeants politiques se conduisant comme des acteurs sur scène, l'élément spectaculaire domine de plus en plus dans les actions politiques), ensuite comme une volonté de rouler ses adversaires.

Que faut-il pour qu'une situation puisse être caractérisée comme un jeu ? Une certaine autonomie des partenaires, la possibilité d'actes volontaires, une relative liberté d'action, la possibilité de répondre aux actions des adversaires, un calcul intellectuel, la volonté de battre les partenaires (ou adversaires), l'existence de certaines règles qui président aux actions échangées. Ces conditions sont manifestement présentes dans les rapports entre les pays et les systèmes et elles sont réalisées en pratique. Ce n'est pas le lieu ici de définir qui est l'initiateur et l'élément le plus actif dans cette situation. Mais enfin, il est évident que les pays du bloc soviétique sont, par leur nature sociale, prédisposés à des jeux à l'échelle mondiale, contraignant les pays occidentaux à une forme de comportement analogue (pas de jeu sans partenaires). A l'Est, une direction unique, constante et sûre d'elle (stable), la possibilité de disposer du pays tout entier comme d'un corps docile. L'immense appareil des fonctionnaires est doté d'un système de comportement habituel, détaillé, conçu pour tous les cas qui peuvent se présenter dans la vie intérieure du pays comme dans son action extérieure. Cette direction a transformé le pays en tréteaux pour ses représentations et elle s'efforce de les étendre à la planète tout entière. Une grande part de son activité est dictée par les intérêts du jeu en tant que tel (au sens de spectacle). En particulier, les innombrables rencontres, visites, pourparlers et discours servent moins à régler des problèmes quelconques qu'à donner une raison d'être aux participants : c'est une occupation, un mode de vie, un moyen de s'affirmer, de faire carrière, de se distraire, une activité lucrative enfin. Ces spectacles deviennent des buts en soi et n'ont d'autres objectifs que partiellement et d'une façon occasionnelle.

Mais cet aspect théâtral n'est que secondaire au regard du jeu pris dans son second sens, auquel je me limiterai dorénavant. Je voudrais insister sur certaines caractéristiques du jeu mondial qui se déroule actuellement. Bien que, en vertu de la loi des systèmes sociaux communiquants, les partenaires de ce jeu s'efforcent de se ressembler, ils restent malgré tout inégaux. D'un côté, l'assimilation reste purement extérieure et ne touche pas la structure sociale du pays ; de l'autre, elle est profonde et elle sape les fondements mêmes de la société. Les règles des jeux se partagent en deux catégories : les unes formelles (ouvertes, officiellement reconnues), les autres, non (secrètes, officiellement rejetées). Les premières sont communes aux deux partenaires. Les secondes peuvent ne pas l'être. Dans le jeu mondial que j'évoque, l'un des participants a tendance à jouer selon la première catégorie des règles, l'autre, selon la seconde. Tout en affectant de respecter les règles officielles ouvertes, ceux-ci jouent essentiellement selon leurs règles secrètes (espionnage, cinquième colonne, chantage, désinformation, bluff, etc.). C'est là un jeu étrange. Il comporte des tricheurs mais en même temps il suit des règles formelles qui interdisent de démasquer ces tricheurs et de leur jeter des candélabres à la figure [1]. Pour l'un des participants, le seul fait d'accepter de jouer équivaut à une défaite, car dans les jeux de ce type, les tricheurs ont tous les avantages de leur côté. Pour le premier, seul un refus de participer lui donnerait une certaine chance si ce n'est de succès, du moins d'en rester à un statu quo. Ce jeu, qui n'est en fait qu'extorsion et pillage, prend la forme d'un gain « honnête ». La victime du pillage se soumet volontiers à la comédie de la défaite « honnête », afin de conserver une dignité dont personne n'a que faire.

Les participants du jeu ont-ils recours à la prévision scientifique ? Une réponse positive à cette question semblerait évidente. Qu'attendre d'autre de la part de

1. Allusion à ce qui pouvait se pratiquer dans la Russie pré-révolutionnaire, dans ces cas-là (*N.d.T.*).

grandes puissances, au développement scientifique qu'on connaît, avec tous leurs savants ? Et pourtant, la situation réelle est tout autre. Ce qui est scientifiquement et exactement prévisible demeure banal et inutile. Ce qui n'est pas banal et qui a une importance pratique est le plus souvent imprévisible, en raison de la complexité et du caractère fluctuant de la vie sociale, de ses tendances qui s'excluent et se modifient mutuellement, analogues à la corrélation des indéterminations en physique. Seul, le nécessaire peut être prévu scientifiquement, alors que l'activité des hommes porte essentiellement sur le possible. Or la prévision du possible ne peut atteindre qu'un certain taux de probabilité, ce qui convient à des événements répétitifs, mais non au cours individuel, unique, de l'histoire. Dans ce cas, il est difficile de calculer la probabilité des événements. En outre, les critères, dans ce domaine, ne sont pas sûrs. La science elle-même est un phénomène social, et non une vérité pure. Elle ment tout autant que les autres sphères de la société. Ajoutez à cela un appareil scientifique et étatique grandiose, le manque de temps, la fuite devant les responsabilités et le risque, la recherche du profit personnel et immédiat. Enfin, nous retrouvons là le paradoxe bien connu de la prévision scientifique : si l'on pouvait prévoir exactement ce qui se passerait, on pourrait prendre des mesures pour que cela ne se produise pas, rendant par là même la prévision exacte impossible.

Bien sûr, même dans le jeu social, les partenaires s'efforcent de connaître et de prévoir le comportement de l'autre. Mais c'est une prévision qui appartient au domaine du jeu, non à celui de la science. C'est une pseudo-prévision, car elle ne se définit pas par son caractère véridique. Les partenaires entreprennent des actions qui leur paraissent les plus rentables. Le succès ou l'échec de ces actions crée une illusion de confirmation ou de réfutation des décisions initiales, comme s'il s'agissait de jugements scientifiques. Bien entendu, les partenaires reçoivent bien une information et ils en tiennent compte. Mais ce qui est déterminant dans leur comportement, sur le plan intellectuel, c'est une forme particulière de conscience sociale qui est l'impératif [1]. Ceci s'observe de façon particulièrement nette sur l'exemple de l'Union Soviétique, et moins dans les pays occidentaux, où des formes traditionnelles de comportement politique sont encore à l'œuvre. Or, l'impératif n'est pas un phénomène d'ordre politique, bien qu'il puisse inclure certains éléments de politique.

On a souvent parlé du caractère dogmatique, borné, obtus, de la politique soviétique. Mais ce faisant, on ne voyait jamais le fondement de ce phénomène, qui n'est autre que l'Impératif qui lui préside. Celui-ci n'est pas le résultat de la sottise des dirigeants ou l'effet d'une idéologie fausse. C'est une forme de comportement naturelle, très efficace, comme l'histoire l'a montré, et qui est propre aux dirigeants d'une société communiste. Voici quelques particularités de ce phénomène social encore peu étudié. Il compense l'impossibilité de prévoir exactement les événements importants. Il correspond parfaitement au lourd appareil dirigeant et à la position de ses tenants dans la société, pour lesquels il s'avère extrêmement commode. Une

1. En russe : *ustanovka*, qui est aussi bien l'orientation, la directive, que la finalité nécessaire d'un système (*N. d. T.*).

fois que cet Impératif se constitue, il fonctionne comme un *a priori* pour tous les événements réels ou supposés. Un système qui agit selon un impératif de ce genre se comporte comme s'il savait à l'avance tout ce qui pourrait se produire et comme si tout se déroulait selon l'impératif qu'il s'est fixé. Cet impératif est stable, pratiquement permanent, presque impossible à changer. Lorsqu'on a l'impression que les dirigeants tiennent compte d'un changement de circonstances et qu'ils sont en train de changer d'impératif, on se trompe, car en fait, ils cherchent seulement un moyen d'appliquer leur impératif immuable dans des circonstances nouvelles. L'impératif est appliqué sans défaillance ni répit, quelle que soit l'importance du domaine où il est à l'œuvre. Lorsqu'on est doté d'un tel impératif, on peut jouer même les yeux bandés, tout en étant certain de gagner. C'est pourquoi on peut trouver absurdes certaines décisions gouvernementales si on les considère en elles-mêmes, tandis qu'elles sont parfaitement rationnelles du point de vue des règles de ces parties « aveugles ». C'est pourquoi aussi il est naïf de croire qu'il suffirait d'exercer une forte pression sur les autorités soviétiques pour qu'elles « se corrigent ». En réalité, les dirigeants soviétiques sont eux-mêmes impuissants devant l'Impératif qu'ils ne font que personnifier et conserver. Ils sont sélectionnés selon des critères tels qu'ils s'avèrent incapables de changer l'Impératif, qu'ils n'ont pas intérêt à le faire. Ils ne peuvent se maintenir au pouvoir qu'en servant l'Impératif. Ils en sont esclaves.

L'Impératif que j'évoque est une réunion des principes de comportement des individus qui représentent les intérêts de l'Etat (du Pays), dans toutes les situations possibles. Une partie de ces principes est formulée dans une phraséologie qui nécessite une préparation spéciale pour être comprise. Une partie prend la forme d'instructions secrètes. Une autre partie n'est jamais formulée. Mais les personnes qui incarnent l'Impératif en font la connaissance dans leur pratique même ou bien elles le découvrent comme une chose tout à fait naturelle, sur leur propre exemple. Pour une part, ces principes restent inconscients. Si on les formulait ouvertement comme les principes qui guident la société donnée, ses représentants les nieraient catégoriquement. Voici quelques-uns de ces principes de l'Impératif : s'étendre dans toutes les directions possibles ; pénétrer partout, dans toutes les organisations, les pays, les continents ; avoir des hommes à soi partout ; jeter le trouble, brouiller les cartes ; semer la zizanie ; faire exécuter les « sales » besognes par autrui ; travailler à créer sa supériorité ; intimidation ; chantage ; promesses ; mensonges ; accepter, tout en continuant à agir comme on l'entend ; impliquer tout le monde dans son jeu ; renforcer la « cinquième colonne » par tous les moyens ; voler les découvertes et inventions ; monter des spectacles grandioses, dans le but de tromper et de mystifier. Bref, ce sont là tous les moyens que connaît l'histoire, lorsqu'il s'agit d'une lutte à mort. En outre, l'Impératif exige qu'on soit patient et méticuleux en appliquant ses principes. Une grande masse de personnes réalise lesdits principes, en disposant pour cela de toute la puissance de l'Etat. Ces personnes ne posent aucun problème d'ordre individuel, car, pris isolément, chacun mène une vie ordinaire et remplit des fonctions ordinaires. Leur activité apparaît comme quelque chose de normal.

On voit bien les avantages de cette forme de comportement impérative lorsqu'on constate que le système parvient à tirer profit même des actes qui lui ont été imposés. Exemple classique : l'émigration juive et l'exil des dissidents soviétiques. A un certain stade du jeu, cette émigration était apparue comme une concession, mais par la suite elle est devenue un moyen de résoudre certains problèmes intérieurs, elle a pris l'apparence d'une action planifiée. Ceci n'est naturellement pas un hasard. Tous les actes de ce genre sont repensés *a posteriori* dans l'esprit de l'Impératif et sont dotés d'une forme adéquate aux plans et à la prévision des conséquences qu'ils entraînent. C'est dans cet esprit qu'on a repensé l'événement le plus grandiose dans la vie de ce système, à savoir sa naissance même. Tous les actes sérieux du système prennent la forme d'un calcul diabolique grandiose, même s'ils ne contiennent pas un seul atome de raison, même s'ils sont inattendus pour le système lui-même. Les insuccès, les défaites sont repensés par la suite comme des actes raisonnables générateurs d'une victoire qui en fait n'a rien à voir avec eux.

S'il faut donc parler d'une utilité de la science pour la compréhension des rapports entre les blocs, l'on pourra dire qu'elle devrait avant tout tirer au clair des impératifs de ce genre, permettre de comprendre les mentalités de leurs porteurs, c'est-à-dire étudier les sociétés qui mettent en œuvre ces impératifs et qui prennent part au jeu mondial. Comprendre à qui on a affaire dans ce jeu, ne se faire aucune illusion sur son partenaire, voilà qui serait déjà beaucoup. Du moins saurait-on alors qu'on est victime non pas tant de sa propre sottise que de l'opiniâtreté, de la mécanique obtuse d'un Impératif inhumain, appliqué par de plus grands sots que nous-mêmes.

Munich, 11 février 1979.

Est et Ouest

(Tiré d'un article destiné
à la radio allemande)

Je suis en Occident depuis déjà six mois. Pendant cette période, j'ai pu rencontrer des personnes d'un âge, d'une situation sociale et de convictions très divers. J'ai déjà pu me rendre compte du grand intérêt que les Occidentaux portent à la vie en Union Soviétique. Intérêt qui n'est pas ethnographique, tel, par exemple, que celui qu'on éprouve pour des sauvages de la jungle ou d'une île du Pacifique et qui n'est pas non plus une curiosité gratuite, telle qu'on la voit chez des touristes en visite dans un pays étranger. C'est un intérêt beaucoup plus profond qui porte sur la société instaurée en Union Soviétique depuis la révolution d'Octobre et sur tous les problèmes qu'elle pose. J'en nommerai ici quelques-uns.

Doit-on considérer le type de société qui est né en Union Soviétique comme le résultat d'une contrainte exercée sur le peuple par une poignée de conspirateurs ou bien comme un produit spontané des larges masses de la population, autrement dit un produit naturel de l'histoire ?

Cette société est-elle stable ?

Quels sont ses supports, puisque ses conditions

257

d'existence sont pénibles et que la population en est mécontente ?

Quels sont les rapports entre pouvoir et peuple, parti et peuple, parti et pouvoir ?

Quel rôle l'idéologie marxiste a-t-elle joué et joue-t-elle encore dans la création et la perpétuation de cette société ?

Cette société correspond-elle ou non au idéaux marxistes ?

Représente-t-elle un socialisme authentique ?

Quelle est la différence entre socialisme et communisme ?

La société soviétique est-elle un communisme véritable ?

Le marxisme soviétique est-il un vrai marxisme ?

Qu'est-ce qui, dans la société soviétique, a un caractère purement national ou historique et qu'est-ce qui est imputable au socialisme ou au communisme dans son ensemble ?

Qu'en est-il des libertés civiques ?

La terreur de masse de la période stalinienne est-elle un élement indispensable dans la genèse de cette société ? Quelle est sa nature exacte ?

De façon générale, les défauts du mode de vie soviétique sont-ils transitoires ou sont-ils un produit logique des lois de cette société ?

Quels sont les traits essentiels de la société soviétique, qui constituent le fondement de leurs autres manifestations visibles ?

Quels sont les vertus et les défauts de cette société ?

Peut-on, tout en restant dans cette même société, n'en retenir que les vertus et éliminer tous les défauts ?

Un communisme à visage humain est-il possible ?

Peut-on envisager une autre voie d'édification du communisme ou du socialisme, différente de celle qui fut suivie en U.R.S.S., libérée de ses défauts ?

Qu'en est-il de la libéralisation de la société soviétique et quelles sont ses perspectives ?

Peut-on imaginer une société qui combinerait les vertus des démocraties occidentales et celles du communisme soviétique, débarrassée des défauts respectifs des unes et de l'autre ?

Comment le communisme résout-il les problèmes qui mûrissent dans les pays capitalistes (par exemple, celui du chômage, les problèmes raciaux ou nationaux) ?

Les rapports entre l'Occident et l'Union Soviétique. L'opposition en U.R.S.S., sa nature et ses perspectives. Et bien d'autres problèmes que je suis loin d'avoir tous énumérés.

Ce que révèle cet intérêt, ce n'est pas seulement une curiosité d'ordre académique, mais aussi une inquiétude, une appréhension : celle de voir l'histoire récente de l'Union Soviétique se répéter en Occident. On sent un désir d'y échapper totalement ou en partie, ou du moins de vivre la même expérience sous une forme plus douce en conservant certaines commodités du mode de vie occidental. De là vient l'idée que le socialisme (ou communisme) soviétique aurait été mal édifié et que son application occidentale serait bien meilleure, qu'une troisième voie serait possible, que le marxisme aurait été déformé et qu'il faudrait le retrouver dans son authenticité et sa pureté... De là vient également l'eurocommunisme et les promesses des communistes locaux qui s'engagent, lorsqu'ils prendront le pouvoir, à ne pas recourir à la terreur de masse, à conserver les libertés civiques et un haut niveau de vie, ainsi que le pluralisme des partis, etc. Comme on le voit, il s'agit de problèmes sérieux, qui suscitent un intérêt angoissé. Et ces thèmes ont beau avoir fait couler des océans d'encre, l'intérêt demeure, semble-t-il, inassouvi. Ceci se comprend si l'on songe que la menace d'une société de type soviétique devient de plus en plus perceptible. L'on peut dire qu'elle frappe déjà à la porte de l'Occidental moyen. Pire, ajouterais-je, elle a déjà pénétré dans sa maison.

Je me suis exprimé à plusieurs reprises sur les problèmes soulevés et sur d'autres problèmes du même type. Bien sûr, mes jugements étaient improvisés et dissemblables, disséminés qu'ils étaient au gré des autres sujets abordés. Je ne prétendrai pas davantage ici à une réponse exhaustive et systématique. Bien mieux, je crois qu'une théorie élaborée, complète, qui prétendrait résoudre tous ces problèmes, produirait l'impression d'un schéma préconçu et sans vie. Or, je crois que les hommes sont lassés par les schémas figés. Cependant je me tiens toujours à quelques principes méthodologiques de la véracité desquels je me suis convaincu à la suite de maintes réflexions.

Pour comprendre des problèmes du type de ceux que j'ai cités et pour tirer des conclusions suffisamment justes, permettant de s'orienter dans une réalité complexe et de formuler des pronostics plus ou moins sûrs, il faut respecter certains principes de la connaissance. Les exposer serait une tâche longue et assez compliquée. Je ne ferai donc que les aborder brièvement.

Si nous voulons réellement comprendre, et non simplement émouvoir l'humanité et nous affirmer en qualité de prophètes et guides de l'avenir, nous devons partir de la réalité et non des idées de rêveurs bien-intentionnés, désireux de faire le bonheur de ceux qui souffrent, ni des promesses des démagogues et de la propagande, ni des programmes des partis politiques, ni de modèles quelconques de la société future. Tous les projets et les modèles, les programmes et les promesses jouent certes un rôle dans l'existence des gens, mais un rôle qui n'a strictement rien à voir avec la compréhension de la vie réelle, avec ses lois et ses tendances objectives. Je crois qu'un nombre croissant de personnes le comprend. Par exemple, si un parti communiste occidental promet de garder les aspects positifs de la démocratie après la prise du pouvoir (y compris les libertés civiques et le haut niveau de vie) tout en évitant les aspects négatifs du mode de vie commu-niste (ou socialiste), tels qu'ils apparaissent en Union Soviétique et dans le bloc prosoviétique, il faut vraiment une absence complète de bon sens, une ignorance crasse en matière de sociologie et un mépris parfait à l'égard des faits de l'histoire, pour croire que cette promesse pourrait éclairer la réalité sociale.

On sait par exemple qu'une des idées fondamentales du marxisme est celle d'une société où les contrastes sociaux auraient disparu et que beaucoup prennent cette idée pour une vérité. Cependant cette idée est absurde aussi bien sur le plan théorique que pratique. Même le cimetière ne permet pas d'atteindre ce type de société : les uns sont enterrés dans des mausolées, d'autres au pied du Kremlin, d'autres encore au cimetière du monastère Novodevitchi, puis à celui du monastère Donskoï, puis au cimetière Vostriako-vskoïé, et enfin, pour les derniers, à des dizaines de kilomètres de Moscou. Sans parler de ceux dont les tombes sont introuvables. Dans la vie réelle, les contrastes sont encore plus aigus. Le communisme ne met pas et ne peut pas mettre un terme aux écarts sociaux entre les hommes. Il ne fait que leur donner des formes différentes, poussant les contrastes à un degré monstrueux, au moins égal à celui qui existe en Occident. L'expérience historique montre de façon suffisamment convaincante que lorsque les hommes entreprennent d'appliquer réellement leurs beaux projets et leurs modèles idéaux, les meilleures intentions du monde engendrent les ignominies les plus abjectes.

Mais la réalité peut être perçue de bien des manières. La vie d'une société est complexe, les faits les plus divers peuvent y être observés et alimenter n'importe quelle idée préconçue, aussi bien qu'être interprétés dans tous les sens possibles. Par exemple, des touristes et des journalistes étrangers entrent dans une église à Moscou et constatent qu'il y a des jeunes, que des enfants sont baptisés, qu'un jeune couple se marie. Et voilà l'image toute prête d'une renaissance religieuse en Russie. Il se trouvera des dizaines de personnes pour prendre leurs désirs pour des réalités et pour retenir cette image. En Union Soviétique il est difficile de trouver une personne qui ne critique pas l'état de choses existant et qui n'exprime pas son mécontentement. Dès lors quoi de plus convaincant que l'idée d'un pouvoir soviétique dénué de tout appui populaire, ne tenant que par la force des baïonnettes (de quelles baïonnettes s'agit-il, je me le demande !) ? En Union Soviétique personne ne croit au marxisme. Et voilà encore l'image toute prête d'une société en pleine décomposition, naguère cimentée par l'idéologie marxiste.

Et cependant la société n'éclate pas. Le pouvoir, dont le filet serré pénètre l'ensemble de la société, reste solide. Le « peuple » non seulement ne songe pas à le renverser, mais même pas à le transformer. Les autorités considèrent avec sarcasme l'idée d'une « renaissans religieuse » et s'accommodent fort bien de l'existence d'une église orthodoxe. L'absence de foi en le marxisme ne l'affaiblit nullement, car le marxisme soviétique est une idéologie ; or on ne croit pas à une idéologie, on l'adopte. Même le mouvement dissident n'ébranle en rien les fondements de la société, car cette dernière s'organise et se perpétue selon des lois historiques naturelles, sécrétant le matériau humain qui lui est nécessaire et qui reproduit à son tour le système social par le cours même de son existence.

Bref, la seule constatation des faits ne résout aucun problème par elle-même. Les faits nécessitent une réflexion suivant certaines règles. Nous vivons à la fin du XXᵉ siècle, époque du plus haut développement scientifique. Actuellement, des considérations de dilettante et des bavardages prophétiques ne suffisent plus. Il faut étudier les faits selon les exigences intellectuelles de notre époque. Il faut savoir utiliser les faits observés en vue de leur compréhension. Dans mes livres, j'ai tenté d'orienter l'attention des lecteurs dans cette direction, sous une forme autant que possible accessible et inhabituelle du point de vue littéraire. Il ne m'appartient pas de juger si cette tentative a été couronnée de succès. Je ne fais qu'évoquer ici un principe général. Pendant longtemps, j'ai étudié la société soviétique, que je considère comme un modèle classique de la société communiste. Cette étude s'inspirait des principes que j'ai évoqués et elle m'a permis de constater que le problème posé par cette société dans le monde est beaucoup plus grave qu'on ne le croit habituellement. Les images de la société soviétique, parmi ses apologistes comme ses détracteurs, en Union Soviétique comme en Occident, sont dans la majorité des cas superficielles, primitives et même souvent ridicules. Lorsque dans mes livres et mes interventions, j'écrivais ou je disais, par exemple, que cette société était monolithique, que peuple et parti étaient unis, que le système s'était formé spontanément sous l'action de millions de personnes, que les purges sanglantes staliniennes étaient le fait des masses, que la contrainte exercée par la collectivité sur l'individu n'était que l'envers de la médaille, la contrepartie d'une défense de l'individu par cette même collectivité, que le marxisme servait fort bien cette société précisément sous sa forme actuelle, beaucoup prenaient mes idées pour des bizarreries, des paradoxes gratuits et même une défense du système soviétique. Et cependant on pourrait montrer que les traits cités ne sont que les aspects les plus innocents dans la vie d'une société communiste, que la réalité est encore bien plus paradoxale et effrayante. Ces phénomènes, on peut s'en défaire en les classant comme des plaisanteries littéraires. Mais ils n'en continueront pas moins à se rappeler à notre attention car ils sont des manifestations extérieures de structures profondes. L'essentiel de nos jours n'est pas d'inventer quelque modèle idéal de société, exempt des défauts des mondes soviétique et occidental, mais de comprendre la réalité communiste dans ses tendances objectives et d'y résister par tous les moyens dont on dispose.

De ce point de vue, j'estime que la naissance du mouvement dissident en Union Soviétique est le fait le plus important de son histoire sociale, bien plus important que les vols cosmiques et la maîtrise de l'énergie atomique. Je ne nourris aucune illusion concernant la composition humaine, le niveau intellectuel et les objectifs de ce mouvement. Mais là n'est pas l'essentiel. Ce qui compte avant tout, c'est le fait même de son existence qui prouve qu'il est possible de résister de l'intérieur au régime communiste.

En dépit de l'intérêt très vif que l'Occident nourrit pour le communisme soviétique réel (la pratique du communisme) en U.R.S.S., il me paraît néanmoins que, dans l'ensemble, les Occidentaux considèrent l'offensive du communisme avec une certaine insouciance. Le terme d' « insouciance » n'est peut-être pas tout à fait adéquat, car il désigne le domaine psychologique, tandis que j'ai en vue l'aspect sociologique des choses.

Je m'explique. Ce qui inquiète la population des pays occidentaux (et encore pas toute), c'est seulement la menace militaire de l'Union Soviétique. Mais cette menace n'est pas la plus terrible. Plus grave est l'existence même des pays communistes et leur pénétration pacifique en Occident, ainsi que l'existence et la croissance de phénomènes sociaux de type communiste dans les pays occidentaux. On pourrait m'objecter que cette pénétration se fait dans les deux sens et que les pays communistes connaissent eux aussi des phénomènes anticommunistes sous la forme par exemple de mouvements religieux ou dissidents. C'est vrai, mais à une nuance près. L'influence des pays occidentaux sur les pays communistes n'est pas du même ordre que celle qui s'exerce en sens inverse. La première ne touche en rien les fondements de la société communiste, tandis que la seconde sape les fondements des démocraties occidentales. Par exemple, les produits de la culture occidentale servent avant tout les représentants des couches les plus privilégiées de la société soviétique, ce qui ne fait que renforcer la tendance à la stratification sociale entre couches privilégiées et subordonnées. En revanche, les modèles de comportement des hommes politiques, fonctionnaires, artistes et écrivains, simples citoyens, modèles que l'Union Soviétique exporte en Occident, rabaissent le comportement des catégories équivalentes de l'Occident au niveau des sociétés communistes. Les pays communistes imposent au monde leur psychologie sociale, leur niveau intellectuel, leur niveau d'organisation, leur style de travail, faisant se dégrader ou, dans le meilleur des cas, en freinant la civilisation occidentale. Je ne parle même pas de l'immense armée d'espions envoyés en Occident, où ils trouvent d'excellentes conditions pour leurs activités, et la cinquième colonne qui, le moment venu, pourrait jouer un rôle fatal. Contre l'armée régulière, l'Occident possède tout de même ses propres armées, contre les armes modernes il dispose d'armes tout aussi puissantes. Mais contre l'armée pacifique des émissaires des pays communistes et de leurs aides occidentaux, les démocraties occidentales ne disposent pas pour le moment de forces adéquates ni de moyens efficaces de défense.

Prenons les échanges culturels et économiques entre l'Occident et l'Union Soviétique. Sans aucun doute, c'est là une chose utile. Mais pour qui et comment ? Qui bénéficie de ces contacts ? Du côté occidental ce sont des personnes privées (hommes d'affaires, artistes, etc.). Du côté soviétique, ce sont des représentants du pouvoir et de la couche dirigeante soviétique. Les partenaires ne sont manifestement pas égaux du point de vue de leur position sociale et de leur rôle respectifs. Personne n'a encore réellement analysé les conséquences profondes de ces contacts.

Innombrables sont les cas où des personnalités culturelles occidentales traitent comme des collègues (ils échangent même parfois des baisers !) des anciens bourreaux staliniens, des fonctionnaires qui régentent la culture, des agents du KGB qui viennent en Occident sous le masque de savants (l'identité de ces personnes n'est d'ailleurs pas un mystère, et j'ai moi-même souvent entendu des aveux sur ce plan !), des personnes dont la profession est la sape de la société occidentale, de sa morale et de sa conscience. Je ne veux pas que mes paroles soient interprétées comme un appel à la « guerre froide ». Je ne cherche qu'une chose : les hommes doivent savoir la vérité sur le communisme, ils doivent connaître sa situation réelle dans le monde et non des bribes de réalité sans importance, auxquelles les staliniens les plus impénitents ne réagissent même plus.

J'ai évoqué plus haut des phénomènes de type communiste qui existent en Occident. C'est là une chose très importante. Je crois d'ailleurs que ce n'est pas un hasard si pour beaucoup de mes lecteurs occidentaux mes livres sont actuels pour le monde occidental. Beaucoup m'ont dit personnellement que ce que je décrivais pouvait également se rencontrer ici.

Je ne m'en étonne guère. En effet, je distingue les rapports sociaux communistes qu'on peut trouver dans les sociétés les plus diverses, et la société communiste elle-même, dans laquelle ces rapports sont devenus dominants. Pour qu'une telle société surgisse, il faut qu'un certain nombre de conditions soient remplies. Elles sont bien connues : liquidation de la propriété privée sur les moyens de production et, comme conséquence inévitable, liquidation des libertés civiques ; système de « parti unique » (ou plus exactement, système sans parti), contrôle de toutes les sphères de la vie sociale, travail forcé, fixation des individus aux lieux de résidence et de travail, oppression de l'individu par la collectivité, etc. L'existence de rapports sociaux et de formes de comportement typiquement communistes dans les pays occidentaux peut être remarquée par chacun. Il s'agit de tous les cas où nous avons l'action de masses humaines sans que les rapports de propriété, de concurrence et d'autres ressorts essentiels liés au capitalisme puissent jouer. Mais en Occident, ces rapports sociaux communistes sont plongés dans un système très différent et ils ne peuvent jouer à plein, comme par exemple en U.R.S.S. Je ne parle même pas du cas évident des partis communistes, dont le fonctionnement interne correspond pleinement à celui des organisations soviétiques.

Et pourtant je ne me sens guère enclin à sombrer dans ce pessimisme noir dont on m'accuse habituellement. En Union Soviétique, j'ai pu observer des phénomènes qui ouvraient des perspectives de résistance. J'ai déjà pu remarquer des perspectives comparables en Occident. Un fait est certain : nous assistons actuellement à un grand tournant dans les esprits, et ce tournant est loin de profiter au communisme. Ceci vaut avant tout pour la jeunesse. Il m'arrive souvent d'avoir des contacts avec la jeunesse occidentale. J'ignore le tableau général mais ce que j'ai vu me semble encourageant. Je suis sûr que cette jeunesse résistera activement à ce qui menace le monde. Je crois que cette résistance joue également dans l'intérêt des peuples soviétiques. Je souligne qu'il ne s'agit pas simplement d'une résistance contre tel ou tel acte du pouvoir soviétique, mais d'une résistance plus profonde : celle qui oppose les individus aux effets de leur activité collective et qui touche aussi bien les pays du bloc soviétique que les pays occidentaux. De sorte que la frontière entre « Est » et « Ouest » me paraît moins géographique que sociale. Le mouvement communiste est en train de vivre une crise profonde, une crise d'une espèce très particulière qui est celle de son Succès. Ce mouvement contient quelque chose qui effraie même ses militants les plus actifs et ses dirigeants. Ce mouvement échappe à leur propre contrôle et ne comporte aucun frein, aucune limitation intérieure. Le contenir, le ramener à un cadre raisonnable et supportable, c'est là une tâche que seuls des millions de personnes, et non quelques héros isolés, pourraient mener à bien.

Munich, janvier 1979.

A propos
de la coquille d'œuf
et de la condamnation
de l'Occident

(de la série : « NOUS ET L'OCCIDENT »)

Nous, ce sont les Soviétiques, et l'Occident, c'est le lieu où l'on nous éjecte de temps à autre afin d'assainir l'atmosphère de chez nous.

Comme on le sait, l'Occident est condamné. Cette idée d'une condamnation de l'Occident, ce n'est pas nous qui l'avons inventée, ce sont les Occidentaux, et cela depuis longtemps. Ils y croient si fermement qu'ils ne peuvent plus s'en passer. Et même ils sont fiers d'être condamnés, de même que nous autres, les Soviétiques, nous sommes fiers de vivre comme des cochons. En vérité, cette ressemblance est frappante. Par exemple, des Soviétiques se réunissent dans un bistrot crasseux et puant ou encore dans un appartement exigu, se soûlent avec une vodka répugnante, mangent des saletés inimaginables pour un Occidental, échangent un regard de connivence totale et disent avec une espèce de sale petit rire très vil : « Vraiment, les gars, nous vivons pire que des cochons ! » Et leurs yeux s'allument de satisfaction et de fierté pour cette cochonnerie. Même chose ici, en Occident. Les Occidentaux moyens se réunissent dans un restaurant ou un appartement dont le Soviétique moyen ne pourrait pas même rêver, mangent et boivent des aliments et des vins dont le Soviétique ne soupçonne pas même l'existence, échangent un regard de profonde connivence et se disent avec un petit sourire condescendant : « Que voulez-vous, Messieurs, l'Occident est condamné ! » Et leurs yeux s'allument de satisfaction et de fierté pour cette condamnation.

En ce qui me concerne, si je me suis mis à croire que l'Occident était condamné, c'est tout à fait indépendamment de ces états d'âme. Cette croyance m'était venue alors que je me trouvais encore en Union Soviétique, dans des circonstances que je m'en vais décrire. Un homme de notre connaissance qui venait de rentrer d'Occident, nous montra un objet fort subtil qu'il en avait rapporté et nous demanda de l'identifier. Nous nous cassâmes longtemps la tête, émîmes toutes sortes de suppositions, mais sans succès. « C'est un appareil pour percer une coquille d'œuf ! » annonça notre connaissance, avec un joyeux triomphe dans la voix. Nous fûmes alors plongés dans un état qui fut sans doute celui de nos aïeux lorsqu'ils entendirent parler pour la première fois de papier hygiénique. Nous fûmes pétrifiés d'étonnement. « Ah, les salauds, ce qu'ils sont allés chercher, quand même ! », chuchota quelqu'un dans l'assistance. Moi, je pensai : si une société commence à dépenser son intelligence et ses moyens matériels en appareils spéciaux pour percer des coquilles d'œufs, au lieu de les employer à fabriquer des chars, des avions et des fusées, elle est condamnée. Dans notre assistance, il se trouva des optimistes qui interprétèrent ce « phénomène coquille d'œuf » comme le signe d'un retard catastrophique de l'Union Soviétique sur l'Occident : l'intelligentsia soviétique a retrouvé cette ancienne tradition de l'intelligentsia russe qui consiste à jouir du regard de son propre pays.

Après que je me fus retrouvé en Occident, je commençai à rencontrer à chaque pas ce phénomène « coquille d'œuf ». Je ne cessai de m'en étonner et de me persuader que l'Occident était réellement condamné. Et voici que survint le moment critique. J'allais chercher un sapin de Noël. « J'espère, dis-je à ma femme, que dans ce domaine, ils n'ont pas inventé de fourbis spéciaux. Si, même là, ils ont inventé quelque chose, je mettrai une croix sur l'Occident. » En arrivant au marché aux sapins, j'aperçus des sapins magnifiques que je n'avais pu voir à Moscou que sur des images, et... un fourbi étincelant ressemblant à une cheminée aérodynamique ou encore à un turboréacteur. « Qu'est-ce que c'est ? » m'enquis-je avec l'espoir que l'inquiétude qui m'avait déjà saisi était injustifiée. « C'est, m'explique-t-on, pour emballer les sapins. » Je pris le premier sapin venu. On me proposa d'utiliser l'engin en question, mais je refusai. J'étais très triste. « Tu sais, l'Occident n'est pas fait pour les Soviétiques, dis-je à ma femme en lui tendant le ticket de caisse du sapin. — Tiens, garde-le ! » « Pourquoi faire ? » demanda ma femme, étonnée. « Qui sait, répondis-je, ça peut servir. Peut-être, pourrons-nous convaincre l'inspecteur des impôts que c'était une dépense liée à mon activité professionnelle. »

L'Occident stupéfie le Soviétique non seulement par ce phénomène « coquille d'œuf », mais aussi par son extraordinaire naïveté en ce qui concerne l'Union Soviétique et les Soviétiques. Je me rappelle une de

273

mes innombrables rencontres avec mes lecteurs. Toute l'assistance était composée de personnes instruites. Il y avait des étudiants, des ingénieurs, des professeurs. — En tant que Soviétique…, commençai-je à répondre à l'une des questions. — En tant qu'ex-Soviétique, me corrigea un des présents. — Il n'y a pas d'ex-Soviétiques, répondis-je ; le Soviétique reste soviétique, même s'il émigre de son plein gré, s'il est chassé de force de son pays, s'il se livre à des activités anti-soviétiques. — C'est un paradoxe rhétorique, dit mon interlocuteur. — Ah, s'il pouvait en être ainsi ! lui répondis-je avec un soupir. Ce qui apparaît aux Occidentaux comme des paradoxes purs, est pour nous autres, Soviétiques, qui assimilons dès notre plus jeune âge l'ABC du marxisme, une forme de pensée habituelle.

Un de mes lecteurs (un professeur d'ailleurs) me dit la chose suivante, lors de cette rencontre. Pour l'essentiel, dit-il, je suis d'accord avec votre critique de la société soviétique. Mais vous exagérez sur beaucoup de points. Par exemple, ce que vous avez écrit sur les files d'attente tient visiblement d'un procédé littéraire, du grotesque. C'est ingénieux, ce que vous avez inventé, ha-ha-ha ! Mais enfin, ce n'est pas possible ! Pourquoi une personne ferait-elle la queue pendant une heure ou deux si elle peut revenir précisément après une heure ou deux et acheter ce qu'il lui faut sans faire la queue. Logique, non ? Mes anciens compatriotes qui assistaient à cette rencontre riaient aux larmes. Un autre lecteur émit alors l'idée suivante, à propos de la venue possible des troupes soviétiques en Europe occidentale : les Soviétiques sont trompés par la propagande et n'ont pas une idée juste de ce qu'est la vie en Occident. Que les soldats soviétiques viennent chez nous. Ils verront que notre niveau de vie est très élevé et de quelles libertés nous disposons tous, ils comprendront qu'ils ont été trompés, retourneront chez eux et reconstruiront leur société sur des modèles occidentaux. Quelques-uns, parmi l'assistance, applaudirent à cette proposition. Là, il n'y avait plus de quoi rire. Mes anciens compatriotes pointaient leur index vers leur tempe et se taisaient d'un air sombre. Que pouvais-je répondre ? Que les Soviétiques ont une idée de la vie occidentale ? Qu'ils idéalisent même quelque peu l'Occident ? Que, en dépit de tout ceci, ils ne troquent pas leur mode de vie contre le mode de vie occidental ? Que, s'ils viennent ici, c'est pour imposer à l'Occident leur mode de vie, pour forcer les Occidentaux à vivre comme des cochons, ou comme eux ? Qu'en leur temps, les hordes de Gengis Khan n'étaient pas du tout venues en Europe pour en prendre de la graine, mais pour imposer leur joug aux peuples européens ? Mais les Occidentaux restent insensibles à ce genre d'arguments. Et j'incline à croire que cette imperméabilité est plutôt le résultat du phénomène « gros beefsteak » que celui de la naïveté. De quoi s'agit-il ? Si le Soviétique mange des pommes de terre pourries, tandis que l'Occidental déguste un gros beefsteak bien frais, celui-ci se sent un être supérieur sous tous les rapports à l'égard du Soviétique. Quant à la faculté qu'ont les Soviétiques de se contenter d'un niveau de vie misérable, il la prend comme le signe d'un certain retard, d'un sous-développement.

Il faut dire qu'il est effectivement difficile pour un Soviétique de vivre en Occident, et ce pour plusieurs raisons ; j'en donnerai deux, à titre d'exemples. Le premier exemple concerne l'aspect juridico-bureaucratique de la vie sociale. En Union Soviétique, de ce point de vue, je menais pratiquement une existence insouciante. Il y avait un livret de travail sur le lieu de l'emploi, et je l'aperçus seulement, pratiquement, après mon licenciement. Chez moi, un passeport. Et c'est tout. Tandis qu'en Occident, j'ai eu le temps en une seule année d'être noyé sous des montagnes de papiers qu'il faut garder, auxquels il faut réagir, ce qui est assez éprouvant, lorsqu'on hait comme moi toutes les formalités. Or, ici, c'est inévitable, car la société occidentale est une société de droit. Il faut s'y habituer dès son enfance. Un jour, j'ai reçu un gros paquet de papiers officiels. Je commence à les lire : je ne comprends rien. Je m'arme de dictionnaires : ce n'est pas mieux. En fait, il existe, outre la langue littéraire, un langage administratif que les habitants locaux comprennent eux-mêmes à grand-peine ou même ne comprennent pas du tout : eux peuvent se le permettre, car ils sont pratiquement habitués à tout faire correctement et sans même avoir à lire les papiers. Je me suis adressé à des connaissances parmi les habitants locaux et, grâce à leur aide, j'ai compris une seule chose : je devais payer, pour je ne sais quoi, une certaine somme d'argent. Je payai. Et je leur écrivis que je payerais volontiers le double pourvu qu'ils ne m'envoient pas des papiers aussi longs à lire. Après quoi je me mis à recevoir toutes les semaines des paquets de papiers de plus en plus gros. Maintenant je ne les lis pas. Je les dépose dans un sac (je crains de les jeter car si j'en avais un jour besoin !...). Et je me comporte selon un principe soviétique : s'Ils ont besoin de quelque chose, Ils viendront me trouver. Et puis avec un peu de chance, ça se passera bien !

Mon autre exemple concerne le problème du choix. Ici, l'on est constamment obligé de choisir parmi des éventails très larges et de faire preuve d'initiative, ce à quoi les Soviétiques ne sont pas habitués. Tout ceci entraîne un ensemble d'états d'âme fort douloureux, et particulièrement le sentiment de la responsabilité et celui du remords. Par exemple, j'entre dans un magasin. J'aperçois une chemise qui me plaît beaucoup. En tant que Soviétique, je suis habitué à saisir au vol un objet qui me tombe sous la main, craignant que cette occasion ne se représentera plus. J'achète donc cette chemise, je rentre chez moi, ravi de cet achat heureux. Cent mètres plus loin, j'aperçois la même chemise, quelque peu moins chère, dans la vitrine d'un autre magasin. Ma joie se trouve un peu ternie. Deux jours après, j'aperçois la même chemise, vendue deux fois moins cher. Ce qui me fait bien jurer. Et deux semaines après, au moment des soldes, qui sont ici monnaie courante, j'aperçois toujours les mêmes chemises presque dix fois moins chères que je n'avais payé la mienne. A présent, cette chemise, je ne peux plus la sentir. Et elle demeure accrochée dans mon armoire comme un symbole de mon inadaptation à la vie occidentale.

Quant aux restaurants, j'éprouve une peur panique d'y entrer. Car on vous donne un menu portant des centaines de noms dont je n'ai jamais entendu parler. Un jour, j'avais faim et décidai de manger quelque chose de consistant. Je choisis un plat plutôt cher, naturellement. Cependant, on m'apporta une sorte de bouillie immangeable de la taille d'un pouce. De surcroît, on la vanta sur tous les tons, car soi-disant, cette bouillie avait été particulièrement réussie cette fois-là. Une autre fois, je voulus juste manger un morceau. Je me commandai quelque chose qui coûtait un prix modique. On m'apporta toutes sortes de mets en une telle quantité qu'elle aurait suffi pour nourrir au moins trois soldats soviétiques. Depuis, je n'ai retenu qu'un seul plat : l'escalope viennoise. J'en mange dans les restaurants de Paris, de Genève, de Stockholm, de Londres et d'autres villes. Et je regarde avec envie les Occidentaux qui savent quoi choisir et qui savent surtout ce qu'ils mangent au juste.

De façon générale, la position de chacun, la situation générale de chaque pays occidental, dépendent bien davantage de l'initiative humaine qu'en Union Soviétique. Par son mode de vie même, le Soviétique est libéré d'une masse de soucis et de responsabilités, dont est remplie la vie d'un Occidental. De ce point de vue, la vie en Union Soviétique est beaucoup plus facile. Il est vrai que les Soviétiques payent cette facilité d'un prix très élevé, à savoir qu'ils sont condamnés à un niveau de vie misérable (au regard du niveau de vie occidental) et qu'ils sont privés de beaucoup de libertés. Je l'avoue franchement, il m'arrive aussi d'être tenté de vivre à un niveau de vie un peu plus bas sous le rapport du confort et des libertés, mais avec un peu moins de soucis. De sorte que je comprends l'attirance psychologique qu'éprouvent beaucoup d'Occidentaux pour le mode de vie socialiste, malgré tous ses défauts qui ont été maintes fois mis à nu. Ils nourrissent l'espoir de pouvoir tromper les lois de la nature, à savoir qu'ils pourraient vivre sans souci, comme les Soviétiques, mais avec le

278

niveau de vie et les libertés occidentaux. Il est vrai que les libertés, ils seraient peut-être prêts à y renoncer. Un jour, je rentrais d'Italie, en traversant l'Autriche et l'Allemagne. Je discutais avec mon voisin de compartiment de ce fait étonnant pour un Soviétique : pouvoir voyager librement dans toutes sortes de pays. Ce voisin était un communiste français. Notez en passant tous les pays que je viens de mentionner ! Ce voisin donc m'assurait que le communisme d'Europe occidentale ne serait pas du tout comme celui de l'Union Soviétique. Les gens circuleraient aussi librement entre Londres et Paris que les Soviétiques le font entre Tambov et Riazan. Je lui répondis qu'il était possible qu'il en fût ainsi. Mais qu'en ce cas, Paris et Londres seraient ramenés aussi bas que Tambov et Riazan et que, de la sorte, les voyages, entre ces deux villes perdraient leur sens. Mon voisin me dit : la perte ne serait pas grande ! J'eus plus d'une fois l'occasion de constater que toutes les libertés qui ont cours en Occident ne sont pas un élément nécessaire au bien-être des Occidentaux. Récemment, en Suisse, un de mes lecteurs se plaignait du fait que chez les Occidentaux, le sens de la responsabilité pour les valeurs de la civilisation occidentale s'était émoussé. A titre d'exemple, il me cite le cas d'un haut gradé de la défense suisse qui devint espion soviétique, uniquement par dépit personnel (on l'avait privé du grade ou du poste qu'il espérait). Que dans les pays occidentaux, les intérêts privés dominent, je le savais depuis mes années d'école. Mais que cela puisse prendre la forme d'une perte du sentiment de responsabilité des Occidentaux pour les valeurs et les destinées de la civilisation occidentale elle-même, je l'ai seulement découvert depuis que je me trouve ici. J'y vois la faiblesse principale de l'Occident dans son opposition au bloc soviétique et au communisme en général. Parmi les dizaines de conversations que j'ai pu avoir sur ce sujet, il n'arriva jamais à mes interlocuteurs occidentaux d'évoquer une lutte contre l'invasion venant de l'Est, d'évoquer les mesures qu'ils estimaient nécessaires pour résister. Ils ne parlaient que d'une chose : les chances qu'avait l'Occident de se sauver et de conserver un petit quelque chose de ses valeurs. Seuls, les émigrés soviétiques sont inquiets; encore ne craignent-ils pas tant pour la civilisation occidentale que pour eux-mêmes : où pourront-ils émigrer si... Mais mieux vaut ne pas penser à ce « si ». Quelques-uns plaisantent : il faudra alors émigrer en Union Soviétique.

Je voudrais dire aussi quelques mots sur les relations entre les gens et leurs passe-temps. Les émigrés soviétiques se plaignent habituellement qu'en Occident tout le monde est toujours occupé, de sorte qu'on n'a pas le temps de bavarder comme il faut, entre quatre yeux. Bien sûr, c'est vrai. L'écrasante majorité des Occidentaux, y compris les capitalistes, les prostituées, les gangsters et les fonctionnaires, gagnent leur pain et leur haut niveau de vie par un travail acharné. Ici, tout le monde est occupé. Ici, tout est chronométré, y compris les vacances, les loisirs et les rencontres avec les amis. Ici, une occupation si habituelle en Union Soviétique, qui consiste à rencontrer des amis et à discuter de choses et d'autres des heures entières, sans se presser, est un luxe pur. On peut encore assister à ce genre de phénomène parmi la jeunesse estudiantine et en province. C'est pourquoi beaucoup de mes lecteurs occidentaux ont pris mes descriptions des innombrables et interminables discussions entre mes personnages, non pas pour une image réelle, mais pour un procédé littéraire, servant à exprimer des idées théoriques. Les Occidentaux n'ont tout simplement pas le temps de réfléchir pleinement aux problèmes sociaux, d'en discuter avec d'autres sans se presser et sans parti pris. De là vient un comportement social souvent irréfléchi, beaucoup de préjugés, de partis pris, d'engouements passagers. Les Soviétiques, eux, ont le temps de réfléchir à toutes sortes de choses, de discuter de tout, sans se presser, avec leurs collègues, voisins ou amis. Mais cela n'entraîne aucune conséquence pratique et ne se reflète pratiquement pas sur la situation et le comportement des uns et des autres. C'est un passe-temps qui est un but en soi et un résultat en soi. C'est un mode de vie. C'est pourquoi la nostalgie qu'ont les émigrés soviétiques de cette possibilité qu'ils avaient de flâner et de bavarder avec un ami, sans but précis, est la nostalgie d'un élément essentiel du mode de vie soviétique : la pensée et les émotions collectives.

En Occident, presque tout Soviétique est pris pour une victime du régime soviétique, de même qu'autrefois, les Occidentaux étaient perçus en Union Soviétique comme des victimes du capital. En ce qui me concerne, les organisateurs de mes rencontres avec les lecteurs et les auteurs d'articles qui me sont consacrés, me présentent opiniâtrement comme une victime du communisme. Je proteste énergiquement contre cette idée. Cela provoque de l'étonnement. Etre une victime du régime soviétique, c'est si commode ici, en Occident. Et voilà quelqu'un qui renonce de lui-même à cet avantage. Du point de vue des Occidentaux, cela dénote un esprit bien peu pratique. Je pourrais dire à mes auditeurs perplexes que c'est justement cet esprit peu pratique qui fut ma meilleure défense dans la société soviétique. Mais je vois à leur expression que cela pourrait les troubler encore davantage. Je ne suis pas une victime du régime soviétique. Ce serait plutôt le contraire : ce régime est lui-même ma victime, il a eu davantage à souffrir de ma part. En outre, s'il n'y avait pas eu ce régime, je n'aurais pas pu écrire mes livres et, grâce à eux, m'en débarrasser. Mes auditeurs tentent vainement de comprendre le sens du dernier paradoxe. Et moi, considérant leur expression abasourdie, je ressens l'avantage d'un Soviétique, pensant dialectiquement, sur l'Occidental, pensant métaphysiquement. Pour nous, Soviétiques, il n'y a aucun problème, car nous trouvons des solutions à nos problèmes bien avant que nous en prenions conscience. Cet élément prémonitoire, assez original, de notre forme de pensée nous gâche quelque peu l'existence ici, en Occident. En particulier, nous songeons avec tristesse que toute cette abondance et ce bien-être occidental disparaîtront immédiatement après que le soviétisme (ou même les Soviétiques) se sera emparé de l'Occident. Or, l'Occident fait tout pour que le soviétisme ne puisse pas ne pas s'en emparer. Là encore, allez donc expliquer aux Occidentaux moyens pourquoi nous, les Soviétiques, ne voulons pas, au plus profond de nous-mêmes, que notre mode de vie s'installe aussi en Occident...

Je viens d'évoquer les Occidentaux moyens, non les hommes politiques. Bien que les dissidents et les émigrés soviétiques enseignent opiniâtrement la

282

sagesse aux hommes d'Etat occidentaux, on ne peut guère observer de progrès dans ce domaine. Par exemple, nous sommes révoltés par le comportement des chefs d'Etat occidentaux devant les événements en Iran et en Afghanistan. Eh bien, que feriez-vous si vous étiez à la place du président des USA ? nous demande-t-on parfois. J'ordonnerais immédiatement d'occuper Cuba, répondons-nous sans hésiter une seule seconde. Les faces de nos interlocuteurs occidentaux s'allongent et ils tournent notre réponse en plaisanterie. Cependant, nous sommes loin de plaisanter. Nous sommes de simples Soviétiques, et nous pensons dans des formes qui nous sont habituelles. Et qu'auriez-vous fait dans le cas des otages en Iran ? poursuivent nos interlocuteurs, prêts à rire d'avance d'une répartie spirituelle. Nous haussons les épaules : pour nous, ce n'est même pas un problème. Un bataillon de paras aurait été suffisant pour régler cette affaire dans les dix premières minutes. Une heure après, il fallait déjà un régiment, un jour après, une division. A présent, l'ensemble des forces armées des USA ne suffirait pas pour sortir de cette situation humiliante.

Dans un pays européen qui a encore conservé le pouvoir royal, il s'est produit l'histoire cauchemardesque suivante. Non loin du palais royal se trouve un lac habité de canards royaux. Ces canards avaient vécu pendant des siècles en étant parfaitement sûrs de leur sécurité et ils faisaient preuve d'une entière confiance à l'égard des citoyens, venant chercher de la nourriture jusque dans leurs mains. Mais voici que des émigrés d'un certain pays communiste apparurent dans ce royaume, le nombre des canards commença à décliner brutalement. Il s'avéra que ces émigrés attiraient les oiseaux trop confiants et les faisaient ensuite passer à leur menu, économisant de la sorte leurs modestes ressources en vue de besoins plus essentiels. Lorsqu'ils l'apprirent, les citoyens du royaume (qui, soit dit en passant, édifie son propre socialisme!) furent horrifiés par ces actes de vandalisme. Quant à nous, lorsque nous entendîmes cette histoire, nous eûmes envie de rire. L'un de nous trouva dans sa poche des miettes de pain qui dataient encore de Moscou, adressa un clin d'œil à celui qui nous avait raconté cette histoire et proposa de tordre le cou à un couple de ces appétissants volatiles, qui considéraient les miettes moscovites avec concupiscence. Oui, dit notre interlocuteur occidental avec un soupir, vous êtes des créatures inconcevables pour nous, vous autres Soviétiques!

Munich, 12.3.1980.

Cet ouvrage
a été achevé d'imprimer par
l'imprimerie Bussière à Saint Amand (Cher)
le 17 mai 1982.
Dépôt légal : mai 1982.
Imprimé en France (900)